LMX-DOW
T3-BOG-622

Manuel de l'élève **1**
Volume A

Bravissi mots

Français au primaire

1er cycle du primaire

Godelieve
De Koninck

en collaboration avec

Évelyne **Miljours**

Éditions HRW
Groupe Éducalivres inc.
955, rue Bergar, Laval (Québec) H7L 4Z6
Téléphone : (514) 334-8466 ■ Télécopieur : (514) 334-8387
Internet : http://www.educalivres.com

Remerciements

Pour leur travail de vérification scientifique, l'Éditeur témoigne sa gratitude à M. Yvon Lapointe, Ph. D.;
Mme Renée-Lise Roy, responsable de formation pratique à l'École des langues vivantes de l'Université Laval.

L'Éditeur tient à souligner la collaboration des personnes suivantes à la conception pédagogique du livre :
M. Réal Bergeron, professeur, département d'éducation à l'Université du Québec en Abitibi-Témiscamingue;
Mme Nicole Forget, enseignante-ressource; Mme Magelline Gagnon, orthopédagogue, École Paul VI, C.s. des Navigateurs;
Mme Thérèse Guilbault, enseignante-ressource; M. Thierry Karsenti, Ph. D., Université du Québec à Hull;
Mme Louise Lécuyer, orthopédagogue, C.s. des Trois-Lacs; Mme Nathalie Ranger, enseignante, C.s. des Trois-Lacs;
Mme Évelyne Tran, ex-conseillère pédagogique, C.s. de Bellechasse.

Pour son travail de recherche de textes et d'informations, l'Éditeur souligne la participation de Mme Sophie Aubin.

Pour leurs suggestions et leurs judicieux commentaires, l'Éditeur tient à remercier Mme Diane Ayotte, École de l'Étincelle, C.s. des Affluents; Mme Denise Cataphard, École de l'Étincelle, C.s. des Affluents; Mme Lyne Chartrand, École Saint-Jean-de-la-Lande, C.s. de Montréal; Mme Annie Chouinard, École Saint-Albert-le-Grand, C.s. de Montréal; Mme Nathalie Cinq-Mars, École Saint-Charles, C.s. Chemin-du-Roi; Mme Nicole Clément, enseignante à la retraite; Mme Marie-Hélène Frenette, École privée Plein-Soleil, C.s. de la Région-de-Sherbrooke; Mme Louise Gagnon, École Jean-Fortin, C.s. des Rives-du-Saguenay; Mme Carole Muloin, École de l'Étincelle, C.s. des Affluents; Mme Line Proteau, École Marguerite-Youville, C.s. des Découvreurs; Mme Monique Provost, École Saint-Jean-de-Matha, C.s. de Montréal; Mme Nicole Roy, École du Village, C.s. des Portages-de-l'Outaouais; Mme France Tremblay, École Les Primevères, C.s. des Découvreurs.

Pour la rédaction de la trousse de grammaire, l'Éditeur remercie Mme Martine Charlebois, pédagogue; il témoigne aussi sa gratitude à Mme Myriam Ferland, enseignante, pour la rédaction de la section graphophonologique.

Manuel de l'élève 1
Volume A

448.2
.D4371
2001

© 2001, **Éditions HRW** ▪ Groupe Éducalivres inc.
Tous droits réservés

Références iconographiques

PHOTOGRAPHIES : François Desaulniers (p. 77, 148), Jacques Marcoux (p. 67, 122)

ILLUSTRATIONS : Yves Boudreau, Isabelle Castonguay, Nathalie Dion, Roxane Fournier, Philippe Germain, Oksana Kemarskaya, Bertrand Lachance, Céline Malépart, Jean Morin.

L'Éditeur vous remercie de ne pas reproduire les pages de cet ouvrage. Le respect de cette recommandation encouragera les auteures et auteurs à poursuivre leur œuvre. La présente publication n'apparaît pas au répertoire des œuvres admissibles à la photocopie de l'UNEQ (Union des écrivaines et écrivains québécois) et des établissements d'enseignement du Québec; il est donc illégal de reproduire une partie quelconque de cette publication sans l'autorisation de la maison d'édition. La reproduction de cet ouvrage, par n'importe quel procédé, sera considérée comme une violation du copyright.

Ce livre est imprimé sur un papier Opaque nouvelle vie, au fini satin et de couleur blanc bleuté. Fabriqué par Rolland inc., Groupe Cascades Canada, ce papier contient 30 % de fibres recyclées de postconsommation et n'est pas blanchi au chlore atomique.

CODE PRODUIT 3004
ISBN 0-03-927893-X

Dépôt légal — 2e trimestre
Bibliothèque nationale du Québec, 2001
Bibliothèque nationale du Canada, 2001

Imprimé au Canada
1 2 3 4 5 6 7 8 9 0 II 0 9 8 7 6 5 4 3 2 1

Lettre à l'élève

Comme le temps passe vite à l'école ! Plusieurs activités t'attendent en compagnie de Bravo, un chien rigolo, et de ses amis et amies.

- Des lectures autant que tu en voudras. Parfois dans des livres, petits ou grands ; parfois, à l'ordinateur.
- De fréquentes occasions d'écrire ! Parfois un petit mot, parfois une histoire.
- Des discussions intéressantes avec tes camarades ! Comme toi, ils et elles savent beaucoup de choses.

Bravo te donnera des trucs pour t'aider à lire.

 J'observe le mot.

 Je découpe le mot en syllabes et en lettres.

Je regarde autour du mot.

 Je reconnais les petits mots dans les grands mots.

 Je regarde les illustrations.

Bon travail !

Godelieve

Table des matières

La collection *Bravissimots*, 1er cycle

La collection *Bravissimots* comprend **quatre manuels** qui privilégient une **approche thématique** pour développer les compétences de l'élève.

Les apprentissages sont répartis de la façon suivante :

- Manuel de l'élève 1 Volume A Thèmes 1 à 16
- Manuel de l'élève 1 Volume B Thèmes 17 à 32
- Manuel de l'élève 2 Volume A Thèmes 1 à 16
- Manuel de l'élève 2 Volume B Thèmes 17 à 32

La démarche d'apprentissage de l'élève

Le développement des compétences s'effectue en **trois temps.**

1 Temps de préparation

- Prise de connaissance du contexte d'apprentissage
- Mise en situation et éveil de la curiosité
- Réactivation et vérification des connaissances
- Initiation à l'utilisation de stratégies d'apprentissage
- Initiation au thème

2 Temps de réalisation

- Développement des capacités et des habiletés
- Construction des nouveaux savoirs
- Utilisation des stratégies déjà planifiées
- Accomplissement des tâches de lecture, d'écriture et d'expression orale
- Gestion du travail et de l'environnement
- Prise de conscience des difficultés et des besoins

3 Temps d'intégration et de réinvestissement

- Retour sur la tâche
- Organisation des savoirs
  Rubrique : Je fais une pause avec Bravo
- Autoévaluation
  Rubriques : Je réinvestis
  Retour
- Transfert des capacités et des savoirs
  Rubriques : Je lis pour le plaisir (première année du cycle)
  Le courrier de Bravo
  Cercle de lecture
  Défi

Je fais une pause avec Bravo

La trousse de grammaire

Des activités de lecture et d'écriture permettent à l'élève de transférer des éléments contextualisés et liés au fonctionnement de la langue.

Un vocabulaire adapté

Le vocabulaire, à la fin de ce manuel, comprend non seulement des mots usuels, mais aussi plusieurs mots qui se retrouvent dans chacun des thèmes.

Des capsules enrichissantes et culturelles

Le savais-tu ?
De l'information supplémentaire en lien avec le thème traité.

Je remarque
Des observations grammaticales qui permettent de découvrir le fonctionnement de la langue en contexte.

De petits détails qui font une grande différence

Défi
Des activités qui favorisent le transfert des apprentissages faits tout au long du thème.

Le courrier de Bravo
Des suggestions de correspondance avec Bravo, la mascotte du livre.

Cercle de lecture
Des activités qui se déroulent surtout en équipe pour amener les élèves à découvrir le plaisir de lire.

Les pictogrammes des tâches
Des signes graphiques qui indiquent clairement aux élèves le mode d'expression privilégié pour chacune des tâches. Voici leur signification :

 Tâche d'écriture

 Tâche d'expression orale

 Dessin ou bricolage

Tâche d'écoute active

L'alphabet

L'alphabet est composé de lettres-voyelles
et de lettres-consonnes.

Aaa Bbb Ccc Ddd

Eee Fff Ggg Hhh

Iii Jjj Kkk Lll Mmm Nnn

Ooo Ppp Qqq Rrr Sss Ttt

Uuu Vvv Www Xxx

Yyy Zzz

Les lettres rouges
sont des lettres-voyelles !

Je vais à **l'école**

Thème 1

Je lis des mots

Les amis et amies de Bravo

Les amis et amies de Bravo aiment lire.

Lis leur prénom.

Simon, **Bravo** et **Mélie** sont des amis.

Bravo a des amis et des amies.

Simon et **Pablo** sont des amis.

Arielle et **Mélie** sont des amies.

1. Lis un prénom dans cette page.
2. Quels autres prénoms peux-tu lire ?

Je remarque

Les prénoms commencent par une lettre **majuscule.**
Exemples : **S**imon, **M**élie.

Une fille ou un garçon

Y a-t-il des filles dans ton groupe d'amis ? Y a-t-il des garçons ?

Lis les phrases.

Mélie est une fille.

Simon est un garçon.

Pablo est un garçon.

Arielle est une fille.

Quel mot se trouve dans toutes les phrases ?

Mélie

Crois-tu que Mélie s'appelle Mélie pour vrai ?

1. Lis le texte.
2. Observe les **M** majuscules et les **m** minuscules dans le texte.

Le savais-tu

Tu peux remplacer ton prénom par un surnom. C'est amusant et ça fait plus intime.

1. Si tu as un surnom, quel est-il ?
2. Qui te l'a donné ?
3. Raconte l'histoire de ton surnom à tes camarades de classe.

Mon vrai préno**m** est A**m**élie,

mais on **m**'appelle **M**élie.

J'ai**m**e ça.

Et toi, as-tu un surno**m** ?

Simon

Je m'appelle Simon.

Simon est mon prénom.

J'aime les chatons.

Avec Mélie, je mange des radis.

Avec Bravo, je joue dans l'eau.

Simon fait des rimes avec les prénoms.

1. Lis le texte.
2. Observe les phrases. Elles commencent par une lettre majuscule et se terminent par un point.

Un mot est formé d'une ou de plusieurs lettres.
Exemple: **Mélie a un ami.**
(5) (1)(2) (3)

Combien y a-t-il de phrases dans le texte?

Transcris la première lettre de chaque phrase.

On fête Anaïs à l'école

C'est l'anniversaire d'une fille de la classe.

1. Écoute les chansons.

2. Chante-les.

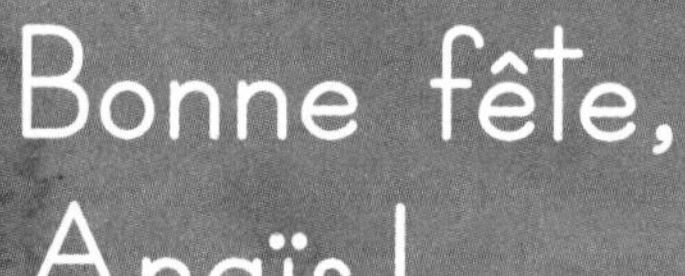

1

Bonne fête, **Anaïs** !
Bonne fête, **Anaïs** !
Bonne fête, bonne fête,
bonne fête, **Anaïs** !

2

Chère **Anaïs,**
c'est à ton tour,
de te laisser parler d'amour.
Chère **Anaïs,**
c'est à ton tour,
de te laisser parler d'amour.

Dans ta classe, cherche quelqu'un qui célèbre son anniversaire en septembre.

Je fais une pause avec Bravo

Je peux lire des phrases.

Simon, Bravo et Mélie sont des amis.

Bravo a des amis et des amies.

Simon et Pablo sont des amis.

Arielle et Mélie sont des amies.

Je peux reconnaître des mots.

ami	prénom	Pablo 
amie	Simon 	Bravo 
fille 	Mélie 	j'aime
garçon 	Arielle 	je joue

Je reconnais des syllabes dans des mots.

Si	mi	lie
Simon	ami	Mélie
ri	dis	mis
Arielle	radis	amis

Je reconnais des lettres dans des mots.

Oo — Bravo, bonne fête, Pablo

Mm — ami, Mélie, j'aime, Simon

Aa — Arielle, Bravo, garçon, ami

a b c d e f g h i j k l m n o p q r s t u v w x y z

Place les lettres dans le bon ordre pour trouver des mots.

1. Trouve les prénoms dans les phrases suivantes.
2. Dis-les.

Mélie joue avec Bravo.

Bravo a un crayon dans son sac.

Simon veut le crayon de Bravo.

1. Dans les phrases ci-dessus, choisis le prénom que tu préfères.
2. Écris-le.

1. As-tu connu de nouveaux et de nouvelles camarades ?
2. Dis leur prénom.

1. Trouve un prénom dans un livre de lecture.
2. Transcris-le.

La magie des couleurs

Dehors, il y a des couleurs

Connais-tu le nom de certaines couleurs ?

1. Lis les phrases.
2. Observe les mots de couleur.
3. Reconnais-tu quelques lettres ?

Bleu
comme le ciel.

Jaune
comme un citron.

Rouge
comme une tomate.

Vert
comme le gazon.

Orangé
comme une orange.

Violet
comme du raisin.

1. Ferme tes yeux.
2. Nomme un objet que tu imagines.
3. De quelle couleur est l'objet que tu as choisi ?

Une murale

Aujourd'hui, les élèves font une murale. Sais-tu ce que c'est ?

1. Lis le texte.
2. Observe les mots qui désignent des couleurs dans le texte.

Le chien ne voit pas les couleurs de la même façon que toi.

Pablo, Arielle et Simon font une murale.

Arielle utilise du **rouge.**

Elle dessine une pomme **rouge.**

Pablo dessine un soleil **jaune.**

Simon dessine un ballon **bleu.**

Explique ce que Pablo, Arielle et Simon font.

1. Sur une feuille, reproduis les dessins d'Arielle, de Pablo et de Simon.
2. Complète-les.

Rimes en couleurs

On peut créer des images avec des couleurs.

Lis les rimes.
Tu reconnaîtras
le nom de plusieurs
couleurs.

noir
comme un chat noir
le **soir**

blanc
comme des voiles
qui flottent au **vent**

rouge
comme un feu
qui **bouge**

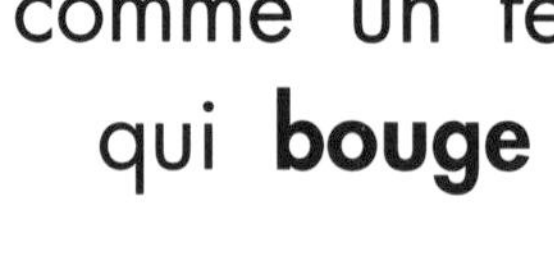

bleu
comme un ruisseau
joyeux

Trouve le mot qui rime avec chacune des couleurs.

vert
comme les feuilles
après l'**hiver**

Jaune et Rouge

Voici l'histoire de deux grands amis.

Écoute leur histoire pour mieux comprendre la magie des couleurs.

1 **Jaune** et **Rouge** sont des amis.

2 **Jaune** rit quand le pinceau le chatouille.
Rouge éternue ; les poils du pinceau lui chatouillent le bec.

3 **Jaune** aime tracer de belles lignes.
Rouge aime tracer des formes et des points.

4 **Jaune** et **Rouge** s'embrassent.
Ils deviennent orangés.

1. Qu'est-ce que Jaune aime tracer ?

2. Qu'est-ce que Rouge aime tracer ?

1. D'après toi, qu'arrivera-t-il si tu mélanges du bleu et du rouge ?

2. Essaie et tu verras.

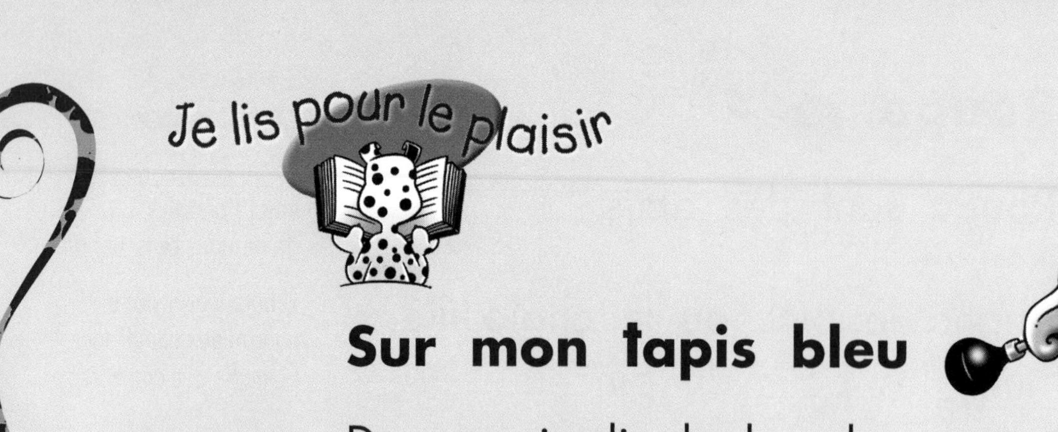

Sur mon tapis bleu

Voici un poème.

Écoute-le attentivement pour entendre le nom des couleurs.

De mon jardin tout vert,
je vois le ciel bleu
rempli de beaux oiseaux blancs.
Ils m'appellent en volant.

Partir sur mon grand tapis bleu,
faire des rêves roses, jaunes et violets.
Voler avec eux ?
Pourquoi pas ?

Godelieve De Koninck

1. Dans le poème, choisis un mot que tu aimes.

2. Représente ce mot par un dessin.

Un ou une poète écrit des poèmes qui amusent ou qui font réfléchir les petits et les grands.

Je fais une pause avec Bravo

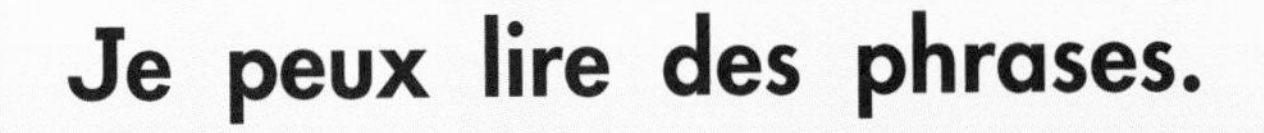

Je peux lire des phrases.

Arielle, Pablo et Mélie dessinent.

Mélie dessine un citron jaune.

Pablo dessine une tomate rouge.

Arielle dessine un jardin vert.

Je peux reconnaître des mots.

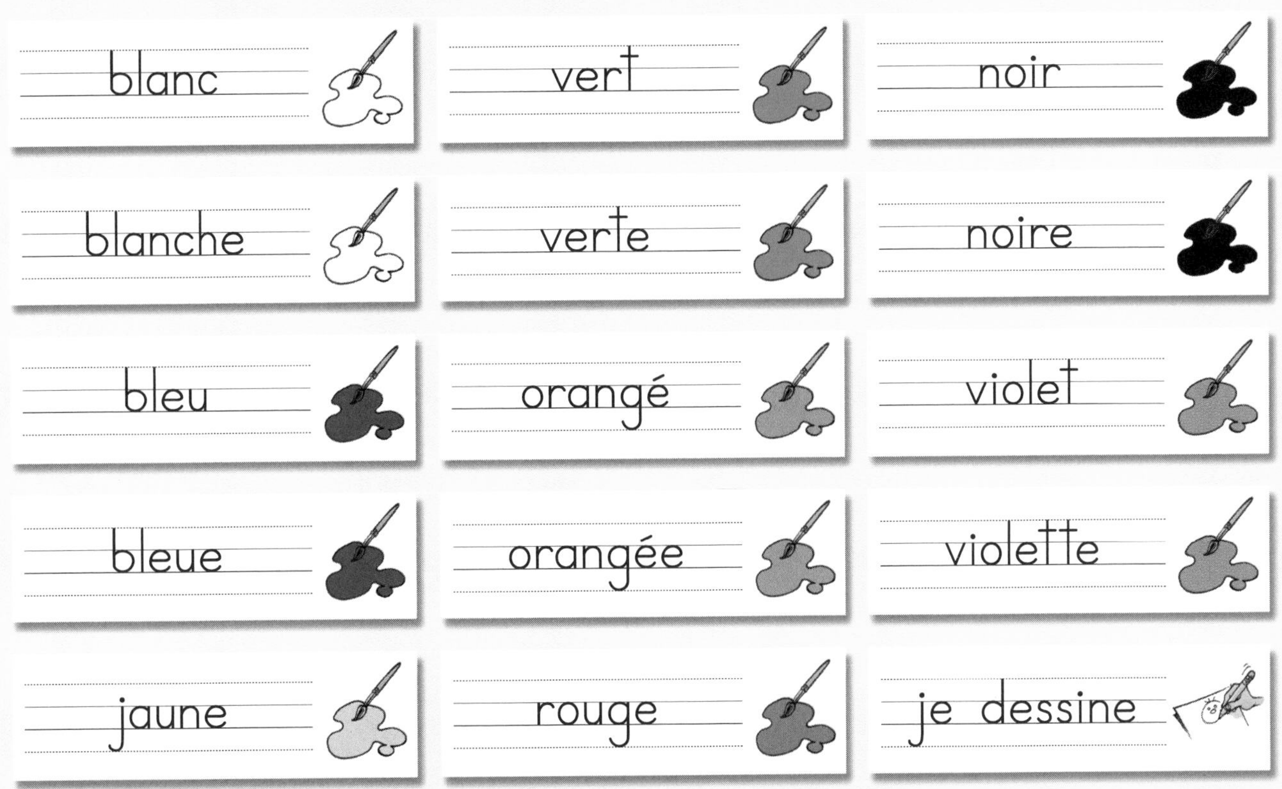

Je reconnais des syllabes dans des mots.

cou	rou	bou
couleur	rouge	bouge
fou	pou	joue
foule	poule	je joue

Je reconnais des lettres dans des mots.

Vv	vert violet hiver vent	Rr	rouge noir raisin Arielle	Bb	bleu blanche Pablo Bravo

a b c d e f g h i j k l m n o p q r s t u v w x y z

Trouve le nom des couleurs sur le pot de peinture.

1. Trouve le nom des couleurs dans les phrases suivantes.
2. Dis-les.

Le ciel est bleu.

Le citron est jaune.

La tomate est rouge.

Le gazon est vert.

Le soleil est orangé.

1. Cache le texte ci-dessus avec une feuille.
2. Écris le nom des couleurs que tu viens de lire. Vérifie si tu as réussi.

1. De quelle couleur les pommes peuvent-elles être ?
2. Nomme un autre aliment qui peut être de couleur différente.

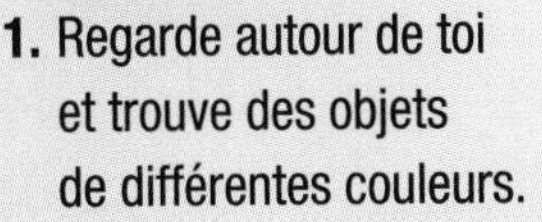

Défi

1. Regarde autour de toi et trouve des objets de différentes couleurs.

2. Nomme des objets jaunes.

3. Nomme des objets bleus.

4. Nomme des objets rouges.

5. Nomme des objets verts.

6. Nomme des objets orangés.

7. Nomme des objets d'autres couleurs.

Thème 3

À l'école

Un matin à l'école

Tous les matins, Bravo distribue le courrier. Il passe devant l'école et il voit Mélie.

Lis le texte pour savoir ce que fait Mélie.

1 Ce matin, Mélie va à l'école.

2 Mélie dit bonjour à Chantal.

3 Mélie cherche son ami Simon.

4 Mélie voit Simon et va le retrouver.

Raconte dans tes mots ce que fait Mélie en arrivant à l'école.

Simon vide son sac d'école

Dans s**on** sac, Sim**on** a
un cray**on** rouge et un cray**on** bleu.

Il a un bât**on** de colle.

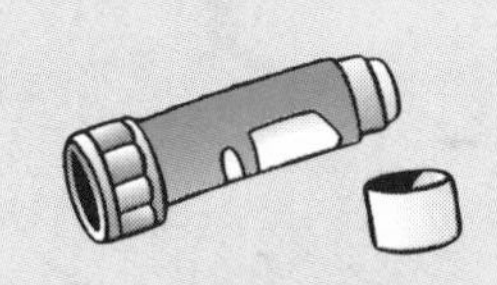

Il a une gomme à effacer
qui sent le mel**on.**

S**on** livre et s**on** cahier jaune
s**on**t là.

Sim**on** sort de s**on** sac les objets
d**on**t il a besoin.

Sais-tu ce qu'il y a dans le sac de Simon ?

1. Lis le texte.

2. Remarque les mots dans lesquels tu entends le son **on.**

Écris cinq mots du texte dans lesquels tu entends le son **on.**

Je remarque

Le son **on** peut être accompagné de lettres différentes.
Exemples : **son,** me**lon,** Si**mon.**

Le sac de Bravo

Devine ce que Bravo a dans son sac.

1. Lis les devinettes.
2. Trouve les réponses.

2 Dans m**on** sac,
j'ai un insecte mign**on,**
tout petit, tout r**on**d.

Il est rouge avec
des taches noires.

Devine s**on** n**om.**

1 Dans m**on** sac,
j'ai un objet l**on**g
qui sert à écrire.

Devine ce que c'est.

1. Choisis un objet dans ton sac d'école.
2. Invente une devinette avec tes camarades.

Le courrier de Bravo

Bonjour,

Je suis Bravo, ton ami.
Savais-tu que je suis facteur ?

Eh oui ! J'adore distribuer
le courrier à tous mes amis
et à toutes mes amies.

Mais j'aime encore plus recevoir
des lettres.

J'aimerais beaucoup que tu m'écrives.
Je pourrais mieux te connaître.

Surveille la boîte aux lettres
rouge et tu sauras quand m'écrire.

Bravo

**Dans son sac,
Bravo a des lettres
pour tous ses amis
et toutes ses amies.
As-tu déjà reçu
une lettre ?**

Bravo t'a écrit une lettre.
Écoute attentivement.

1. Que dois-tu surveiller pour savoir quand tu peux écrire à Bravo ?
2. Regarde dans ton livre.
3. Trouve une boîte aux lettres rouge.

Surprise !

Bravo a caché des surprises dans son sac.

Écoute le texte pour les découvrir.

J'ai une sauterelle pour Arielle.

J'ai une fourmi pour Mélie.

J'ai un oiseau pour Pablo.

J'ai un papillon pour Simon.

Arielle, Mélie, Pablo et Simon sont surpris.

Chacun et chacune fait une caresse à Bravo.

La coccinelle et la fourmi sont des insectes.

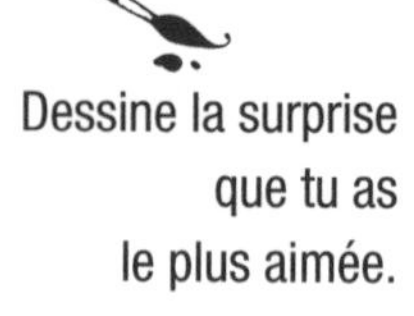

Dessine la surprise que tu as le plus aimée.

Je fais une pause avec Bravo

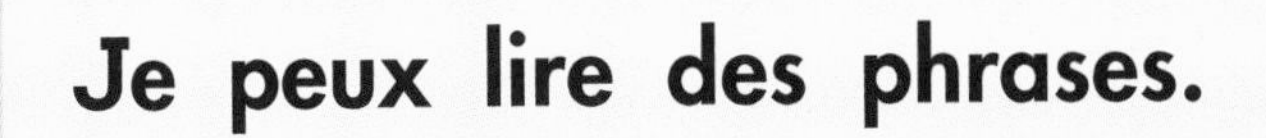

Je peux lire des phrases.

Je vais à l'école avec Bravo.

Je dis bonjour à mes amis et amies.

Je vois Simon, Arielle et Mélie.

Je cherche un crayon rouge.

J'aime l'école.

Je peux reconnaître des mots.

école	bonjour	je cherche
crayon	cahier	je dis
livre	je vais	je vois

Je reconnais des syllabes dans des mots.

mon	bon	çon
Simon	bonjour	garçon
ton	lon	pon
bâton	melon	réponse

Je reconnais des lettres dans des mots.

Ii	Ll	Cc
livre	école	cahier
je dis	melon	école
violet	Arielle	couleur
Simon	blanc	crayon

a b c d e f g h i j k l m n o p q r s t u v w x y z

Quelles lettres de l'alphabet les coccinelles cachent-elles ?

a  d e f  h  j

k  n  p q s t

u  w x y z

1. Lis les phrases suivantes.
2. À ton avis, Simon a-t-il eu une bonne idée ?
3. Explique pourquoi.

Ce matin, Simon a caché
une coccinelle dans son sac.
Il sort son crayon.
La coccinelle s'envole.
Chantal est surprise.

Écris le nom de trois surprises que tu aimerais mettre dans ton sac d'école.

Tu utilises des objets pour travailler à l'école. Nomme des objets que l'un de tes parents utilise pour son travail.

Dessine une des trois surprises.

1. Quel article scolaire trouves-tu le plus utile ?
2. Explique pourquoi.

Thème 4

J'aime lire

De beaux livres

Le titre et l'illustration sur la couverture d'un livre te renseignent souvent sur le contenu du livre.

1. Observe les couvertures des livres.
2. Devine le sujet de chacun des livres.

Un album est un livre dans lequel on trouve beaucoup d'images et un peu de texte.

1. Lequel de ces livres aimerais-tu lire ?
2. Pourquoi ?
3. Trouve un nouveau titre pour le livre que tu as choisi.

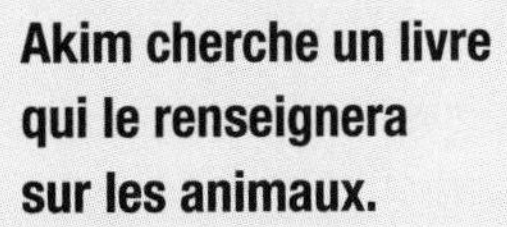

Le coin de lecture

Akim cherche un **livre** dans le coin de **lecture.** Il veut lire une **histoire** de chats.

Akim cherche un livre qui le renseignera sur les animaux.

Lis le texte pour savoir comment Akim trouve son livre.

Akim regarde les étiquettes rouges, jaunes et bleues. Les **livres** sur les animaux portent des étiquettes rouges.

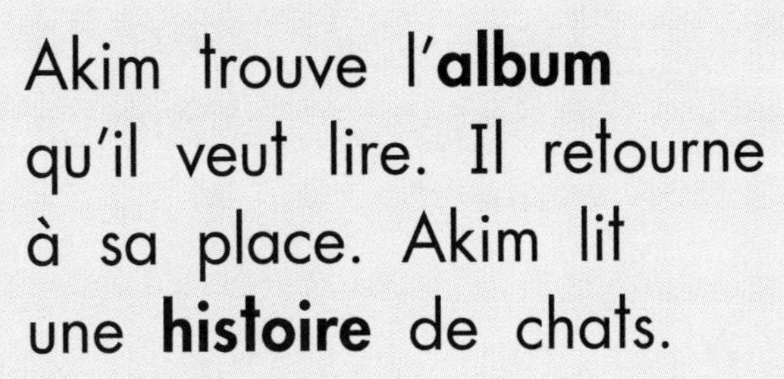

Akim trouve l'**album** qu'il veut lire. Il retourne à sa place. Akim lit une **histoire** de chats.

Akim est content. Il a des **images** plein la tête. Il ne remet pas le **livre** au bon endroit. Quel distrait !

1. Explique comment les livres sont classés.
2. As-tu un coin de lecture chez toi ?

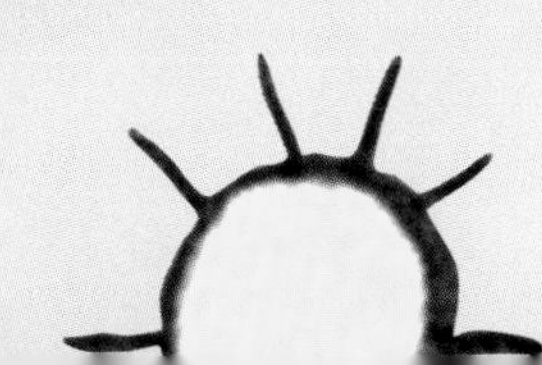

Un projet de classe

Depuis quelques jours, les élèves préparent des affiches pour la visite des parents.

Lis le texte pour savoir ce que font les élèves dans la classe de Chantal.

❶ Les élèves de la classe de Chantal veulent afficher des messages sur le **babillard** pour la visite des parents.

❷ À la table de Pablo, on parle du livre d'Akim. À la même table, Arielle lit une comptine sur un chat.

❸ Mélie écrit le nom des amies. À la même table, Simon écrit le nom des garçons.

1. Que fait chacune des équipes?
2. Et toi, que voudrais-tu afficher sur le babillard?

Le babillard

Les élèves ont placé leurs affiches sur le babillard.

Lis le titre de chaque affiche. Tu connais tous les mots.

Dessine une affiche qui rappelle un événement heureux vécu dans ta classe.

1. Trouve un titre pour ton affiche.
2. Écris-le.

Henriette Major, *100 comptines*, Montréal, Fides, 1999, page couverture.

Un livre est né

Henriette Major et Pascale Constantin ont participé à la création de l'album *100 comptines.*

Lis le texte pour découvrir le rôle de chacune.

Henriette Major est une auteure.
Elle a composé des comptines
dans cet **album.**

Elle a choisi des **mots**
qui amusent et qui font rêver.

Gracieuseté de Fides

Pascale Constantin a créé des **images**
dans cet **album.**

Ces **images** font rêver,
chanter et rire.

Gracieuseté de Pascale Constantin

1. Où trouve-t-on le nom de l'auteur ou de l'auteure d'un livre ?

2. Nomme une auteure de l'album *100 comptines.*

3. Nomme une illustratrice de l'album *100 comptines.*

Je fais une pause  avec Bravo

Je peux lire des phrases.

Je choisis un album.

Je regarde les images.

Je lis l'histoire.

J'aime la lecture.

Je peux reconnaître des mots.

histoire	table	je lis
nom	image	je regarde
lecture	chat	je choisis

Je reconnais des syllabes dans des mots.

me	re	ne
melon	histoire	comptine
le	ge	je
le	image	je lis

e [ə]
melon

Je reconnais des lettres dans des mots.

Tt	Nn	Ee
table	noir	melon
histoire	animaux	je lis
lecture	anniversaire	image
titre	nom	je regarde

a b c d e f g h i j k l m n o p q r s t u v w x y z

Les feuilles sont déchirées. Saurais-tu les recoller ?

1. Lis les phrases suivantes.
2. Montre avec ton doigt les mots que tu reconnais.
3. Quels mots as-tu reconnus ?

Akim va dans le coin de lecture.

Il lit le titre du livre qu'il choisit.

Arielle lit une comptine.

Kim regarde les images de son livre de lecture.

Écris une phrase avec les mots suivants.

regarde	une	Mélie	.	image

1. Quel est le titre de ton livre préféré ?
2. Dis pourquoi tu aimes ce livre.

1. À la bibliothèque, cherche un livre ou un album qui porte sur les chats, les comptines ou les insectes.
2. Regarde-le.
3. Peux-tu en parler à tes camarades ?

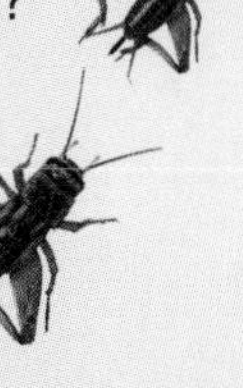

Les majuscules et les minuscules

Certains mots commencent par une majuscule.
D'autres commencent par une minuscule.
Observe les mots ci-dessous.

Majuscules	Minuscules
Arielle	amie
Bravo	bleu
Chantal	crayon
Diana	dos
Élodie	école
Félix	fille
Gabrielle	garçon
Hugo	heureux
Isabelle	image
Jacques	jaune
Kim	kiwi
Louisa	livre
Mélie	matin
Nicolas	noir
Olivia	orangé
Pablo	pomme
Quentin	quatre
Raphaël	rouge
Simon	soleil
Tran	tomate
Ursula	ustensile
Vinh	vert
William	wagon
Xavier	xylophone
Yan	yeux
Zoé	zéro

A a a
B b b
C c c
D d d
E e e
F f f
G g g
H h h
I i i
J j j
K k k
L l l
M m m
N n n
O o o
P p p
Q q q
R r r
S s s
T t t
U u u
V v v
W w w
X x x
Y y y
Z z z

Je découvre
les fruits
et les légumes

Thème 5

Des fruits frais

Pomme, pomme, pomme

Voici un poème.

Lis-le pour connaître une partie de la pomme.

Pomme rouge,
si je te secoue,
tu tomberas.

Pomme verte,
si je te croque,
ton coeur restera.

Pomme jaune,
si je te pèle,
ta pelure s'enroulera.

Pomme rouge,
pomme verte,
pomme jaune,
dans mon panier
je vous déposerai.

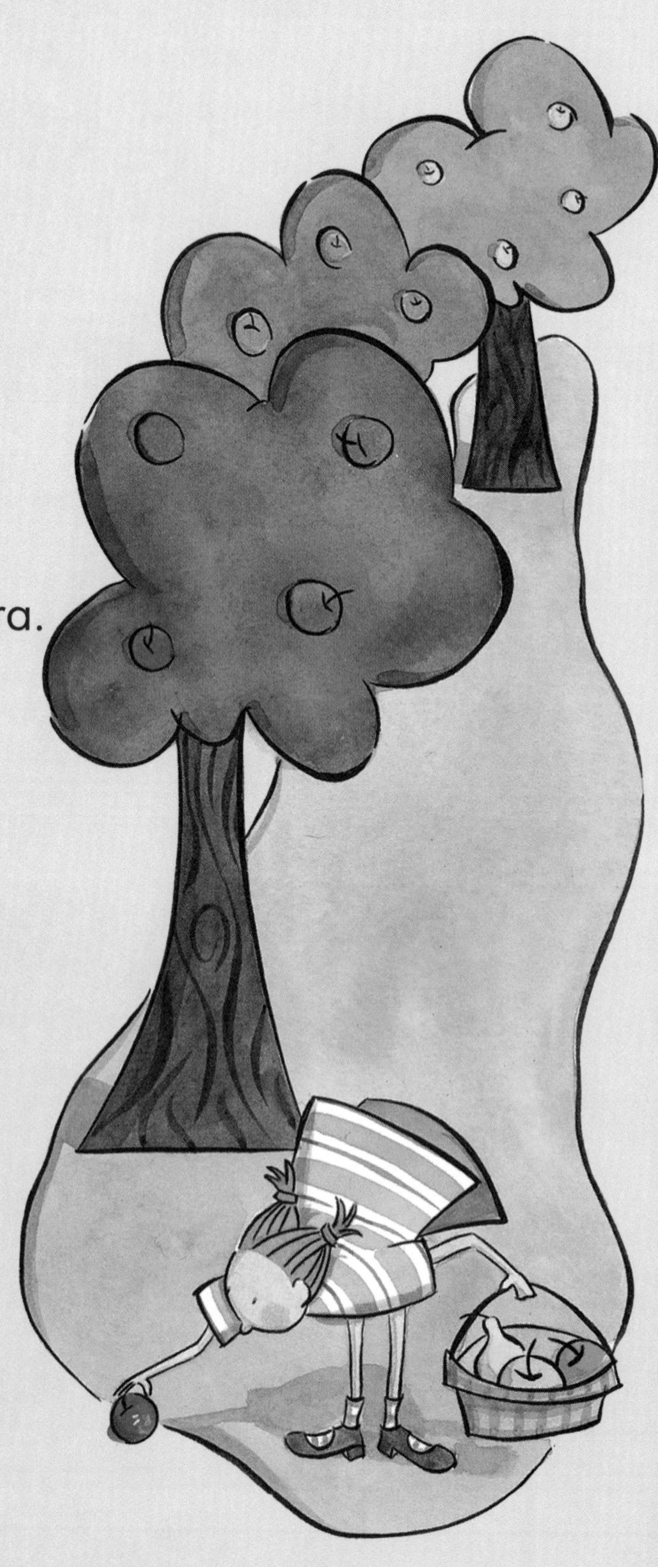

1. Quelle partie de la pomme est nommée dans le poème ?
2. Amuse-toi. Trouve l'intrus dans l'illustration.

1. Relis tous les mots contenant le son **ou.**
2. Transcris deux de ces mots.

Les parties de la pomme

La pomme est un fruit.

En voici quelques parties.

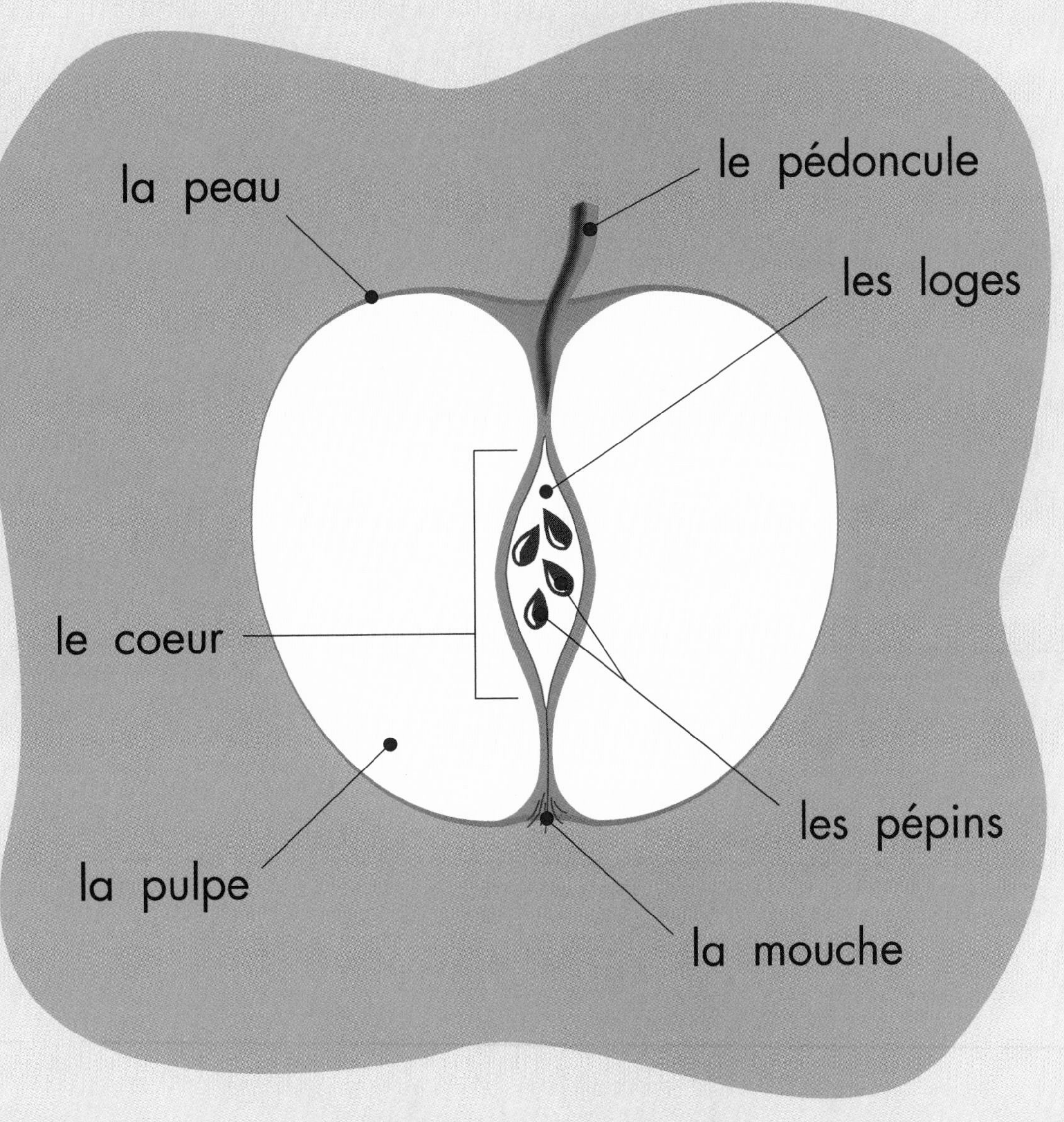

En coupant une pomme en deux, on fait des découvertes !

1. Observe l'illustration.
2. Lis les mots qui désignent les parties de la pomme.

Dessine une pomme entière et écris au bon endroit les mots *pédoncule* et *peau.*

Quelle est la première lettre des deux mots que tu as écrits ?

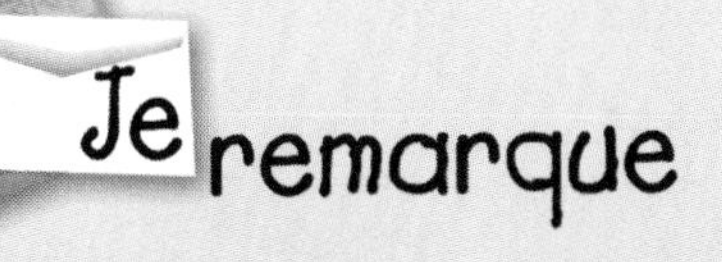

Le nom est **masculin** ou **féminin.**
Exemples : le coeur (masculin), la pulpe (féminin).

Une surprise aux fruits

Mélie a reçu une carte d'anniversaire. Elle aura toute une surprise !

Lis le texte de la carte de voeux.

Fais une carte de voeux pour un ami ou une amie qui célébrera son anniversaire au mois d'octobre. Pour t'aider, utilise des mots de la carte de Mélie.

Des brochettes de fruits

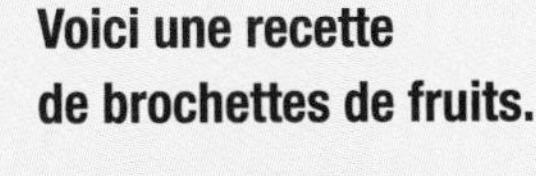
Voici une recette de brochettes de fruits.

1. Remarque les intertitres en caractères gras.
2. Lis les étapes à suivre dans la préparation des brochettes.

Ingrédients

- des pommes
- des pêches
- des poires
- des bananes
- des raisins

Ustensiles

- des brochettes de bois
- un couteau
- de grandes assiettes
- des serviettes de table

Préparation

- Laver les pommes, les pêches, les poires et les raisins.
- Peler les bananes.
- Couper les fruits en morceaux.
- Choisir des morceaux de fruits variés.
- Enfiler les fruits en alternance sur la brochette.

1. Explique à papa ou à maman comment préparer des brochettes de fruits.
2. Prépares-en à la maison avec tes parents.

Petite pomme

Voici l'histoire de Petite pomme.

Lis cette histoire pour t'amuser.

1 Petite pomme s'ennuie sur son pommier. Elle aimerait bien voyager.

2 Petite pomme a tant bougé qu'elle est tombée de son pommier.

3 L'herbe du pré lui chatouille le bout du nez. Petite pomme est gaie !

4 Petite pomme aimerait bien avancer, mais... impossible de bouger ! Petite pomme est toute triste !

5 Voici qu'arrive Pico, le porc-épic. « Attends ! dit Pico, j'ai une idée. »

6 Et c'est ainsi que Petite pomme a pu continuer sa promenade dans le verger !

Selon Anita Engelen, « J'aime raconter... », *Dorémi,* Averbode (Belgique), © Éditions Averbode, n° 4, 1983, p. 19.

Inspire-toi de l'histoire de Petite pomme pour inventer l'histoire de Petite poire.

Je fais une pause avec Bravo

Je peux lire des phrases.

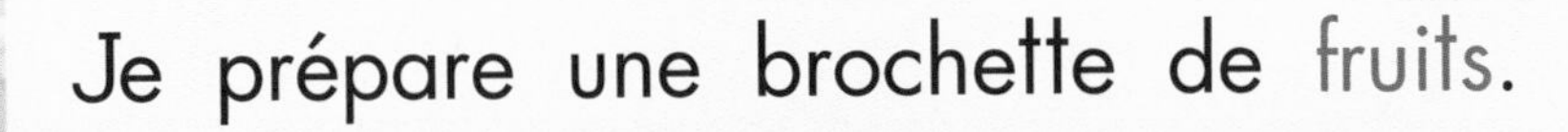

Je prépare une brochette de fruits.

Je lave les pommes, les pêches,
les poires et les raisins.

Je coupe les fruits.

Je les enfile sur une brochette.

Je peux reconnaître des mots.

Je reconnais des syllabes dans des mots.

chai
chaise

rai
raisin

fai
faire

rais
frais

sai
anniversaire

t'ai
je t'aime

Je reconnais des lettres dans des mots.

Pp
pomme
couper
Pablo
petite

Ff
fenêtre
fruits
frais
fille

Ss
oiseau
raisin
surprise
chaise

a b c d e f g h i j k l m n o p q r s t u v w x y z

Quels mots désignent des parties de la pomme?

pépin
Pablo

pulpe
peau

pêche
pédoncule

1. Lis les phrases suivantes.
2. Trouve cinq noms de fruits.

Arielle aime les fruits.

Elle coupe les bananes en rondelles.

Elle enlève la peau de la pomme.

Elle lave les raisins.

Elle place les pêches à côté des poires.

Puis, elle enfile les fruits sur une brochette.

Transcris trois noms de fruits.

1. Quel fruit préfères-tu ?
2. Que penses-tu de la surprise de Mélie ?

Défi

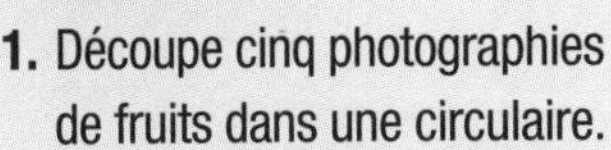

1. Découpe cinq photographies de fruits dans une circulaire.

2. Écris le nom des fruits représentés sur ces photographies.

3. Dans la circulaire, découpe la photographie d'un fruit que tu n'as jamais goûté.

4. Écris le nom de ce fruit.

Thème 6

Des légumes

La trempette

Aimes-tu les légumes en trempette ?

1. Lis le texte.
2. Observe les différents accents sur la lettre **e**.

Pour faire ma trempette,
je m**é**lange
de la cr**è**me sure
avec des oignons.

Pour pr**é**parer mon plateau
de l**é**gumes,
je coupe des branches
de c**é**leri.

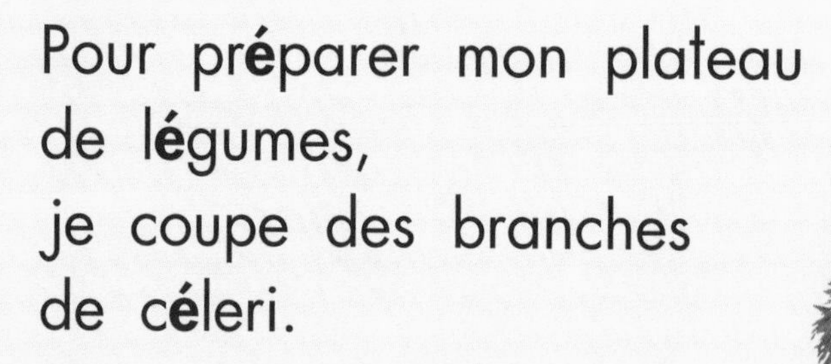

J'ajoute de petits
bouquets de brocoli.

Je mets m**ê**me des carottes
coup**é**es en rondelles.

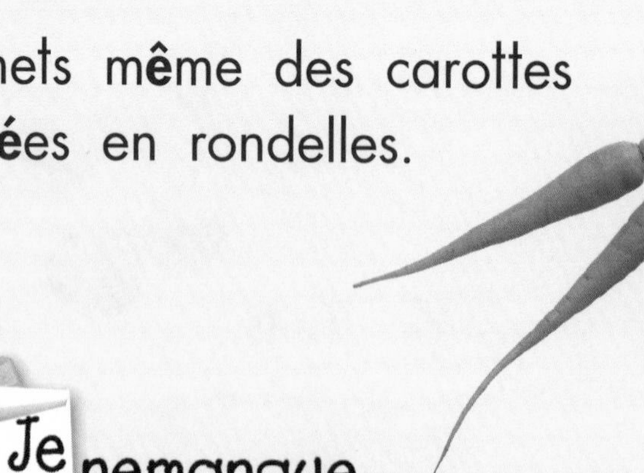

Fais la liste des mots qui ont un accent sur le **e.**

Comment s'appelle le signe de ponctuation à la fin des phrases ?

Je remarque

On prononce la lettre **e** de façon différente lorsqu'il y a un **accent** dessus.

Exemples : **é** ▸ le b**é**b**é** ;
ê ▸ la f**ê**te ;
è ▸ un m**è**tre.

La soupe de grand-papa

— Dis-moi, grand-papa, quels légumes mets-tu dans ta soupe ?

— Dans ma soupe, je mets un **chou.**

J'ajoute du **céleri,** des **carottes** et une **tomate.**

Je mets aussi du **brocoli,** des **pois** et du **navet.**

— Miam-miam ! C'est bon !

Grand-papa Samuel fait de la soupe.

1. Lis le texte.
2. Observe le nom des légumes.

Nomme deux légumes que tu ajouterais dans la soupe de grand-papa Samuel.

Du plaisir pour les yeux

Y a-t-il un marché près de chez toi ?

Y vas-tu souvent ?

Lis le texte pour apprendre le nom et la couleur de quelques légumes.

Au marché, je vois
un étalage de **courges vertes**
et **orangées.**

Un peu plus loin, je vois
des **poivrons verts, rouges,**
jaunes et **orangés.**

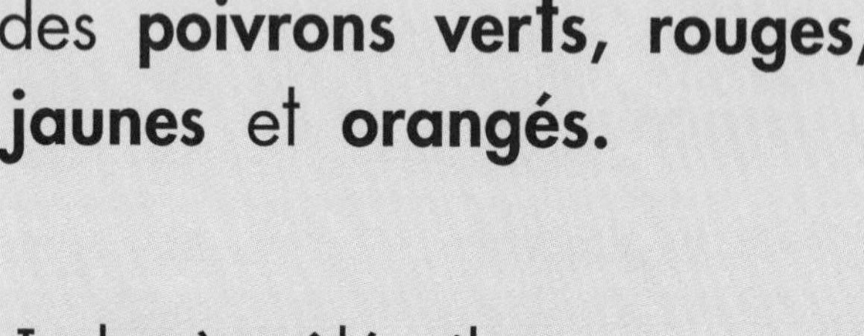

Juste à côté, il y a
des **choux rouges**
et des **choux verts.**

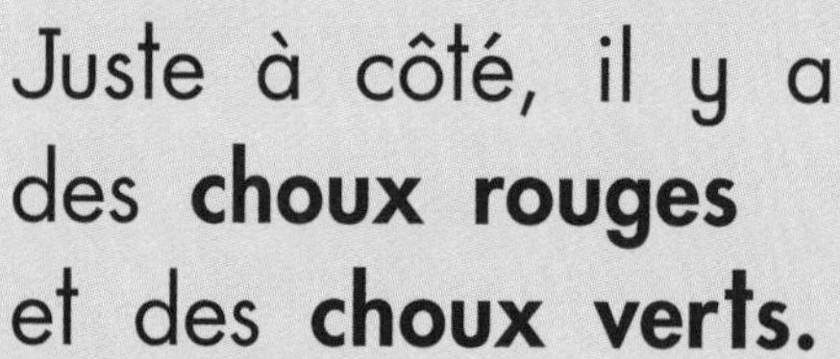

Je vois aussi des **tomates roses,**
vertes et **rouges.**

Quel plaisir pour les yeux !

Transcris le nom de deux légumes qui peuvent être de couleur rouge.

Qui suis-je ?

Aimes-tu les devinettes ?

1. Lis les devinettes.
2. Trouve de quel légume il s'agit.

❶ Je suis parfois rouge.
J'ai plusieurs pelures.
Je peux te faire pleurer.
Qui suis-je ?

❷ Je pousse dans la terre.
Je suis délicieuse,
frite ou en purée.
Qui suis-je ?

❸ Je suis tout vert.
Je ressemble à un petit arbre.
On me mange cru ou cuit.
Qui suis-je ?

Avec un ou une camarade, invente une devinette sur un légume.

Écris ta devinette.

Avec certains légumes, on peut faire des desserts.
Exemple : **un gâteau aux carottes.**

Un vrai bonhomme santé

Voici la description d'un personnage très original.

Lis le texte et amuse-toi.

C'est un petit bonhomme,
petit, petit, petit.
Sa tête est une pomme,
son nez est un **radis.**

Ses yeux sont des groseilles,
sa bouche, un **cornichon.**
Puis il a pour oreilles
deux petits **oignons.**

Sa jambe droite est une banane,
sa jambe gauche aussi.
Il se promène avec une canne
qui est une branche de **céleri.**

Il porte une longue barbe
et un petit chapeau.
Une feuille de **rhubarbe**
lui fait un long manteau.

1. Mémorise la comptine.

2. Récite-la à tes parents.

Je fais une pause avec Bravo

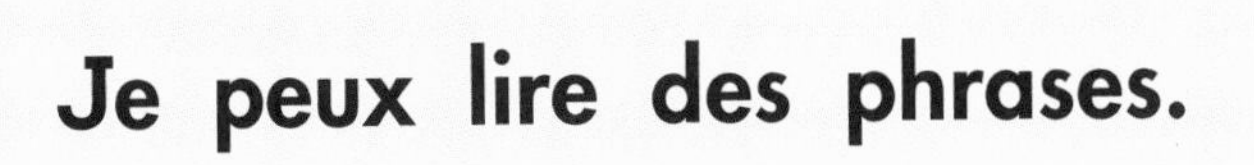

Je peux lire des phrases.

La tête du bonhomme est un brocoli,
son nez est une branche de céleri.

Ses yeux sont des tranches de banane,
sa bouche, un cornichon.

Ses jambes sont des carottes.

Je peux reconnaître des mots.

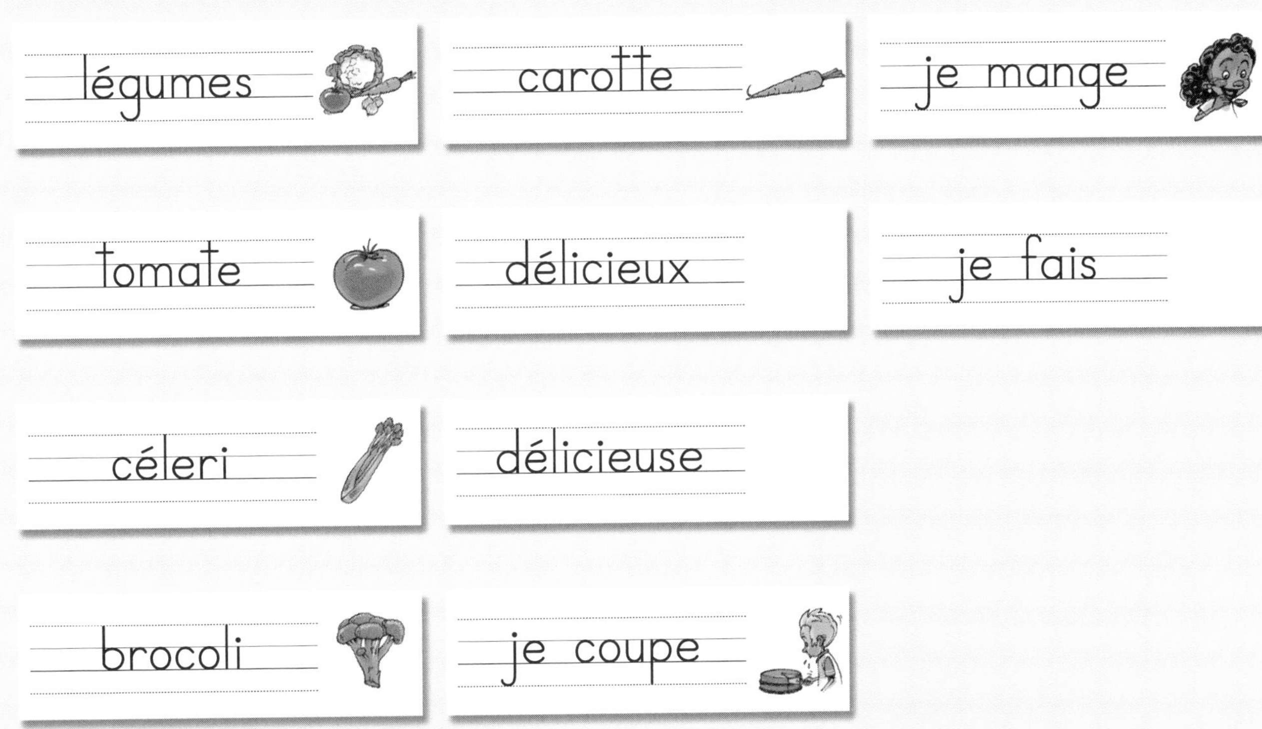

Je reconnais des syllabes dans des mots.

mé
Mélie

lé
légume

cé
céleri

dé
délicieux

pé
coupé

gé
orangé

Je reconnais des lettres dans des mots.

Dd
délicieux
rondelle
je dessine
je regarde

Gg
genou
mélange
orangé
courge

Cc
céleri
délicieux
pinceau
certain

a b c d e f g h i j k l m n o p q r s t u v w x y z

Place les lettres dans le bon ordre pour trouver le nom d'une couleur.

1. Lis le texte suivant.
2. Trouve les mots qui désignent des légumes.

Au marché, j'ai mis dans mon panier un gros céleri, de petites carottes et des radis tout rouges.

J'ai aussi mis un brocoli frais et des poivrons jaunes.

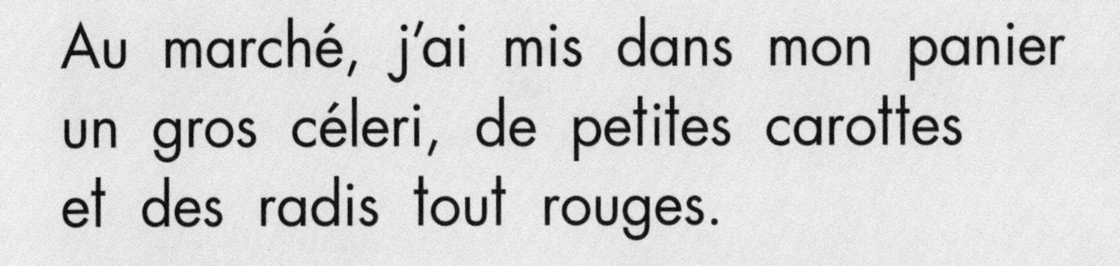

Transcris les mots qui désignent des légumes.

1. Découpe des photographies de légumes dans les circulaires.
2. Construis un drôle de bonhomme.

1. Crois-tu vraiment que les carottes sont bonnes pour les yeux ?
2. Crois-tu vraiment que le céleri guérit ?
3. Crois-tu vraiment que les épinards donnent de la force ?

Thème 7

Les légumes, les fruits et l'art

Au musée avec Bravo

As-tu déjà visité un musée ? Qu'as-tu vu ?

Voici une nature morte de Paul Cézanne. Observe-la bien.

Paul Cézanne (1839-1906), *Nature morte à la bouilloire,* Musée d'Orsay, Paris.

1. Aimes-tu ce tableau ?
2. Explique pourquoi.

Paul Cézanne est né en France.
Il peignait des portraits, des paysages et des natures mortes.

Le savais-tu ?

Une nature morte est un tableau représentant des fruits, des fleurs ou des objets.

Peintre en herbe

Voici une autre peinture de Paul Cézanne.

Observe-la bien.

Paul Cézanne (1839-1906), *Nature morte au panier,* Musée d'Orsay, Paris.

1. Nomme un objet placé au premier plan du tableau.
2. Nomme un objet placé au milieu du tableau.
3. Le panier de fruits est-il à gauche ou à droite dans le tableau ?
4. Aimes-tu ce tableau ?
5. Pourquoi ?

Les **noms** sont des mots qui servent à nommer les choses.
Exemples : une **pomme,** un **panier.**

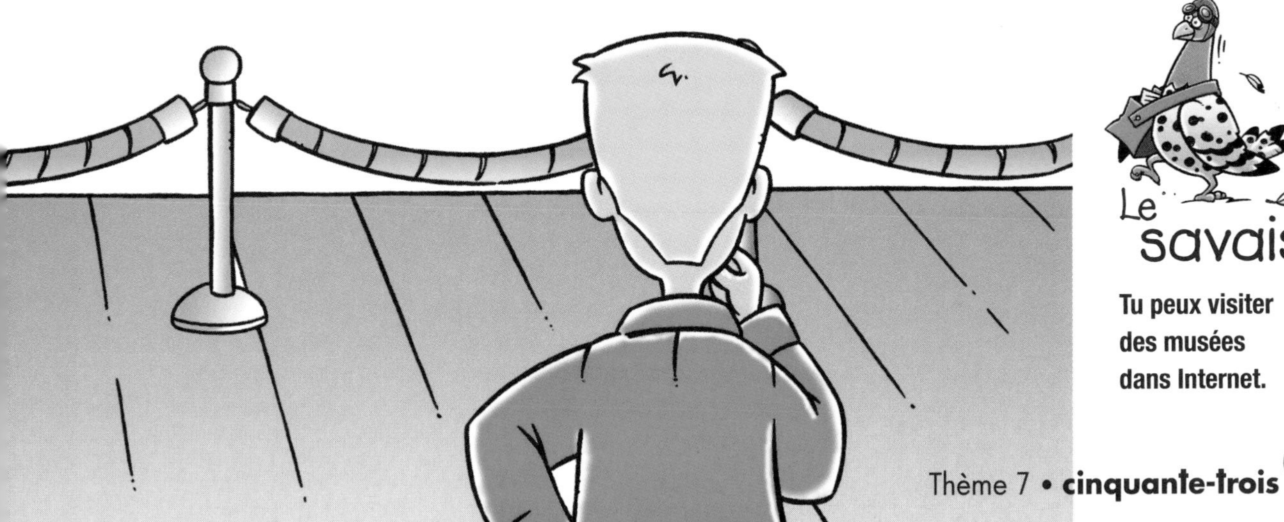

Tu peux visiter des musées dans Internet.

Tante Odette peint

Tante Odette est artiste peintre. Sais-tu ce qu'il lui faut pour peindre une nature morte ?

Lis le texte pour découvrir ce dont elle a besoin.

❶ Tante Odette a besoin d'un **chevalet** pour peindre.

Elle a aussi besoin d'une **toile,** d'une **palette,** de tubes de **peinture** et de **pinceaux.**

❷ Elle dessine des cercles pour la pomme, les raisins et la pêche.

Elle colorie les fruits qu'elle a dessinés avec du **rouge,** du **jaune** et du **violet.**

1. Découpe des modèles de fruits et de légumes.
2. Dispose-les pour peindre une nature morte.
3. Trace le contour des fruits et des légumes sur une feuille.
4. Applique des couleurs.
5. Affiche ta nature morte.

Le modèle d'Odette

Dans un plat, Odette dispose avec art une carotte, des raisins et une pomme.

Elle ajoute des radis, une tomate et un céleri.

Dans ce plat, on voit du rouge, du jaune et du violet.

Il y a aussi de l'orangé et du vert.

Odette veut peindre des fruits et des légumes.

1. Lis le texte.
2. Trouve le nom et la couleur des légumes.

Transcris le nom et la couleur des légumes.

Simon est artiste peintre

Simon veut peindre une nature morte.

Lis l'histoire pour connaître la mésaventure de Simon.

Simon veut peindre une nature morte.
Il installe son chevalet. Il prend son pinceau.
Il ouvre ses pots de gouache.
Il y a du rouge, du bleu et du jaune.

Simon veut peindre un panier rempli
de pommes, de bananes et de bleuets.

Tout à coup, il trébuche et renverse
ses pots de gouache. Le rouge et le jaune
se mélangent. La gouache devient orangée.

Simon n'a plus que du bleu et de l'orangé.
Il décide donc de peindre des bleuets
et des oranges.

Nicole Forget et
Thérèse Guilbault

1. À la place de Simon, qu'aurais-tu dessiné ?

2. Pourquoi ?

Je fais une pause avec Bravo

Je peux lire des phrases.

Dans un panier, Simon dispose
une carotte, une tomate et du brocoli.

Il ajoute quelques fruits.

Il y a du rouge, de l'orangé, du vert
et du violet.

Simon dessine des fruits et des légumes.

Je peux reconnaître des mots.

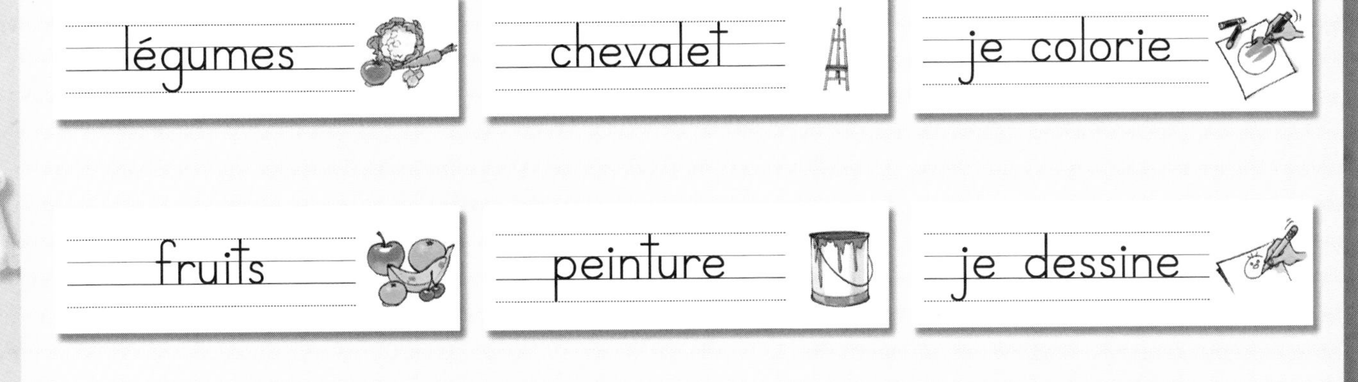

Je reconnais des syllabes dans des mots. 

gu	tu	mu
légume	peinture	musée
du	bu	tu
du	trébuche	nature

u [y]

légumes

Je reconnais des lettres dans des mots.

Gg	Zz	Yy
gazon	zéro	yo-yo
grande	Cézanne	paysage
je regarde	gazon	youpi
légume	zèbre	pays

a b c d e f g h i j k l m n o p q r s t u v w x y z

Découvre les noms de fruits et de légumes.
Simon y arrive en utilisant un miroir.

brocoli	carotte	céleri
banane	pomme	pêche

1. Lis le texte suivant.
2. Nomme les fruits que Mélie choisit pour réaliser sa nature morte.

Mélie peint une nature morte.

Elle choisit trois pommes rouges, deux bananes et un melon vert.

Elle imite le peintre Cézanne.

1. Connais-tu le nom d'un ou d'une autre peintre ?
2. Aimes-tu ses oeuvres ?
3. Dis pourquoi.

1. Écris les mots que tu reconnais dans le texte ci-dessus.
2. Écris une phrase à propos d'un légume.

Dessine ton fruit et ton légume préférés.

Thème 8

Je fête l'Halloween

La petite citrouille

Voici l'histoire d'une petite citrouille.

1. Lis le texte.
2. Observe les mots qui indiquent le début, le milieu et la fin de l'histoire.

Un jour, Félix trouve dans son jardin une petite citrouille qui pousse en beauté.

Elle est ronde, potelée et orangée.

Elle se chauffe au soleil.

Plus tard, la maman de Félix transporte la citrouille dans la maison.

Félix et sa maman la coupent, la vident et lui font un beau visage souriant.

Finalement, Félix la pose sur le bord de la fenêtre.

Il installe une bougie à l'intérieur et l'allume.

La petite citrouille est heureuse et se chauffe maintenant au clair de lune.

Magelline Gagnon

L'espace entre les lettres d'un mot doit être régulier.

Exemple: flêtte.

C'est à ton tour d'inventer une histoire.

1. Pense au début de l'histoire.

   Écris un mot important ou fais un dessin.

2. Pense au milieu de l'histoire.

   Écris un mot important ou fais un dessin.

3. Pense à la fin de l'histoire.

   Écris un mot important ou fais un dessin.

Je remarque

Dans une histoire, il y a toujours un **début,** un **milieu** et une **fin.**

Des graines de citrouille grillées

Grand-papa prépare des graines de citrouille grillées.

1. Lis sa recette.
2. Observe les mots en caractères gras : ce sont des verbes. Ils t'indiquent quoi faire.

1. Avec qui pourrais-tu préparer des graines de citrouille grillées ?
2. Pourquoi faut-il être prudent ou prudente quand on cuisine ?
3. Explique ce que tu peux faire seul ou seule.
4. Explique ce qu'une grande personne peut faire pour t'aider.

Ingrédients

Des graines de citrouille
Un peu de sel
Un peu de beurre ou d'huile

Préparation

1. **Enlever** toutes les graines d'une citrouille.
2. **Laver** les graines.
3. **Faire sécher** les graines.
4. **Étendre** les graines sur une plaque beurrée.
5. **Faire griller** les graines pendant 10 minutes dans un four à 200 °C.
6. **Saler** les graines.

La vie d'une citrouille

D'où viennent les citrouilles ?

Lis le texte pour savoir comment pousse une citrouille.

❶ La **semence**
On sème une graine
de citrouille
dans la terre.

❷ La **croissance**
Peu à peu,
la tige et les feuilles
poussent.

❸ La **floraison**
La plante produit
une fleur.

❹ La **maturité**
La fleur se transforme
en fruit.
Le fruit devient orangé.

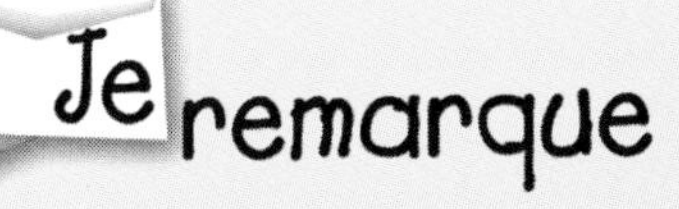

Dans un texte **documentaire,** les intertitres sont importants.

Nomme les étapes de la vie d'une citrouille.

La citrouille

Regarde la jolie citrouille.

Lis la comptine. Prononce bien le son **ouille.**

Je suis une **citrouille**
qui attend dans son jardin.

Je suis une **citrouille**
et j'ai hâte à la fête
qui s'en vient.

Je suis devenue
une belle **citrouille.**

Regardez-moi bien.

J'ai les yeux brillants.

J'ai le nez percé.

J'ai une grande bouche,
avec deux dents.

C'est moi la belle **citrouille.**

Dans la nuit, à la fenêtre,
j'éclaire comme un lampion.

1. Fais le dessin d'une citrouille.

2. Affiche-le à la maison.

Je fais une pause avec Bravo

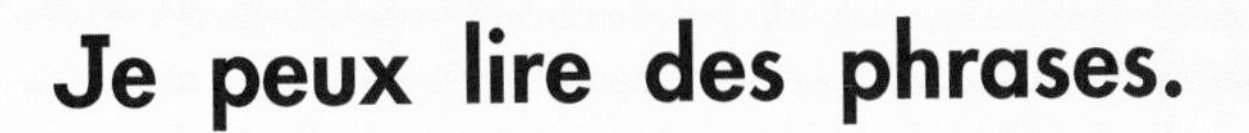

Je peux lire des phrases.

Un jour, Félix trouve dans son jardin une petite citrouille.

Plus tard, Félix et sa maman coupent la citrouille, la vident et lui font un visage souriant.

Finalement, Félix la pose sur le bord de la fenêtre.

Je peux reconnaître des mots.

Je reconnais des syllabes dans des mots.

a	ma	pa
Arielle	maman	papa
la	ca	ba
je lave	cahier	banane

Je reconnais des lettres dans des mots.

Xx
xylophone
Félix
yeux
deux

Jj
jaune
jour
je trouve
je lave

Ss
sapin
Simon
je dessine
histoire

a b c d e f g h i j k l m n o p q r s t u v w x y z

Mime les actions suivantes.

1. Comment évolue la graine de citrouille? Dans le texte ci-dessous, trouve les trois mots qui te l'indiquent.
2. Écris-les.

Je sème une graine de citrouille.

La graine devient une plante.

La plante produit une fleur.

La fleur se transforme en fruit.

Écris les mots que tu reconnais dans le texte ci-dessus.

1. Illustre les étapes de la vie d'un tournesol.
2. Avec l'aide d'un ou d'une adulte, fais griller des graines de tournesol.

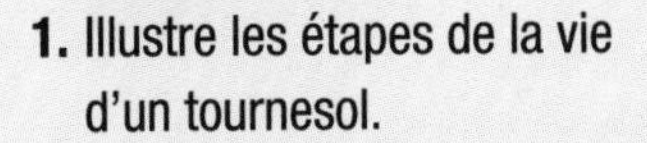

Comment vas-tu célébrer l'Halloween? Parles-en avec tes camarades.

As-tu pensé à tout ce que tu as appris depuis le début de l'année ?

1. Lis le texte.
2. Remarque tout ce que Mélie sait faire.

Qu'est-ce que j'ai appris ?

❶ Il y a quelques semaines, j'ai appris à écrire mon prénom. Aujourd'hui, je peux lire et écrire ceux de plusieurs camarades de classe. Je sais même écrire celui de Simon.

❷ J'ai inventé un jeu. J'ai écrit des noms de légumes et des noms de couleurs sur des bouts de papier. Mon ami tire un nom parmi les noms de légumes, puis un nom parmi les noms de couleurs. Si la couleur est la même que celle du légume, il a un point.

1. Écris le nom de cinq camarades de classe.
2. Écris une phrase sur ton légume préféré.

Grandir, c'est **découvrir**

Thème 9

Mon corps

Les parties du corps du pantin

Fabien a reçu un cadeau. C'est un pantin à assembler.

Aide Fabien à identifier les parties du corps de son pantin.
Lis le nom des parties du corps.

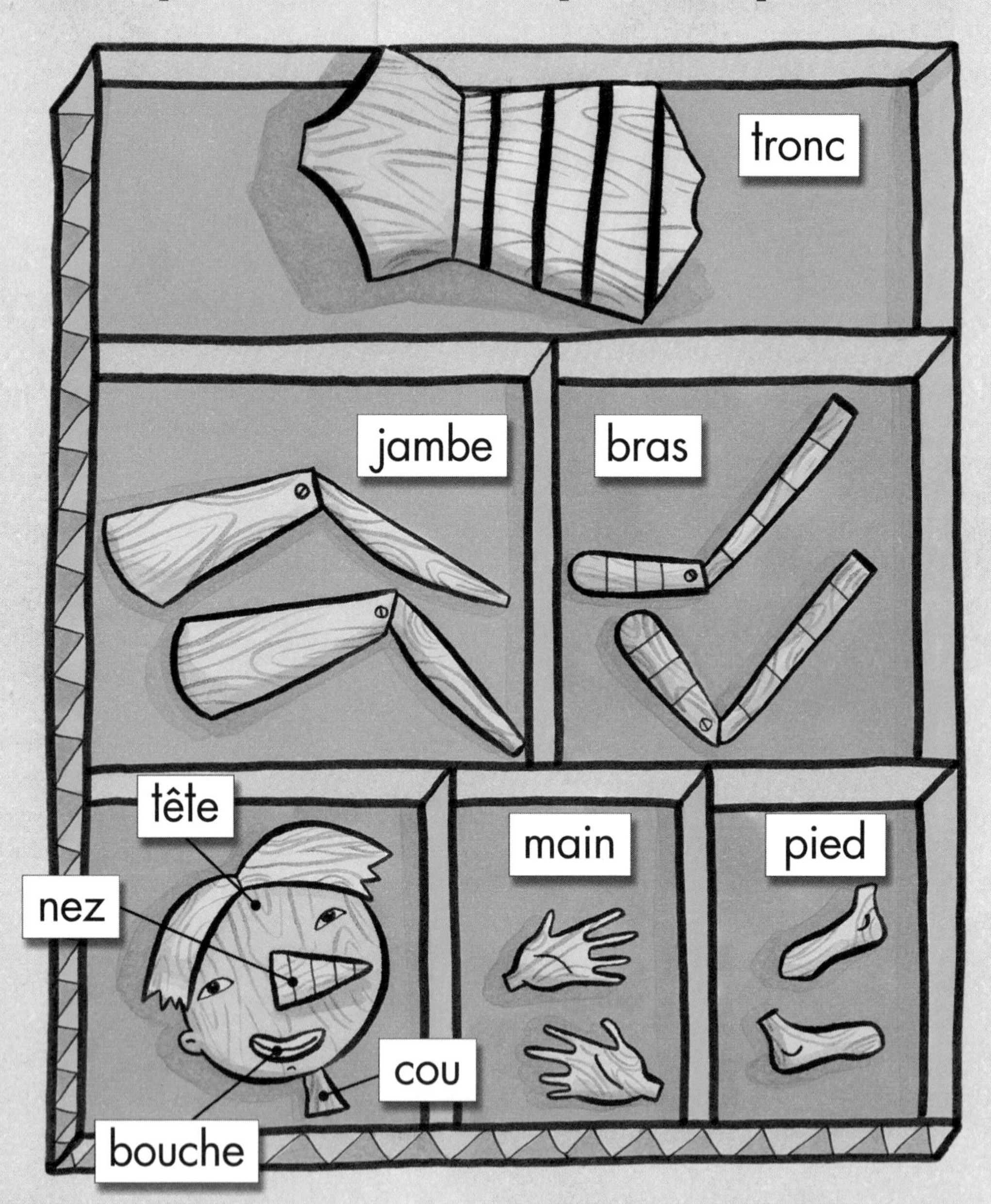

1. Reconnais-tu les mots qui servent à nommer les parties du corps?
2. Écris-les.

1. Crois-tu que les parties du corps du pantin sont les mêmes que les tiennes?
2. Nomme d'autres parties du corps?

Je remarque

On désigne les choses, les personnes et les lieux par un **nom.**
Exemples : la **jambe** (chose) de **Fabien** (personne),
la **chambre** (lieu) de mon **amie** (personne).

Le pantin assemblé

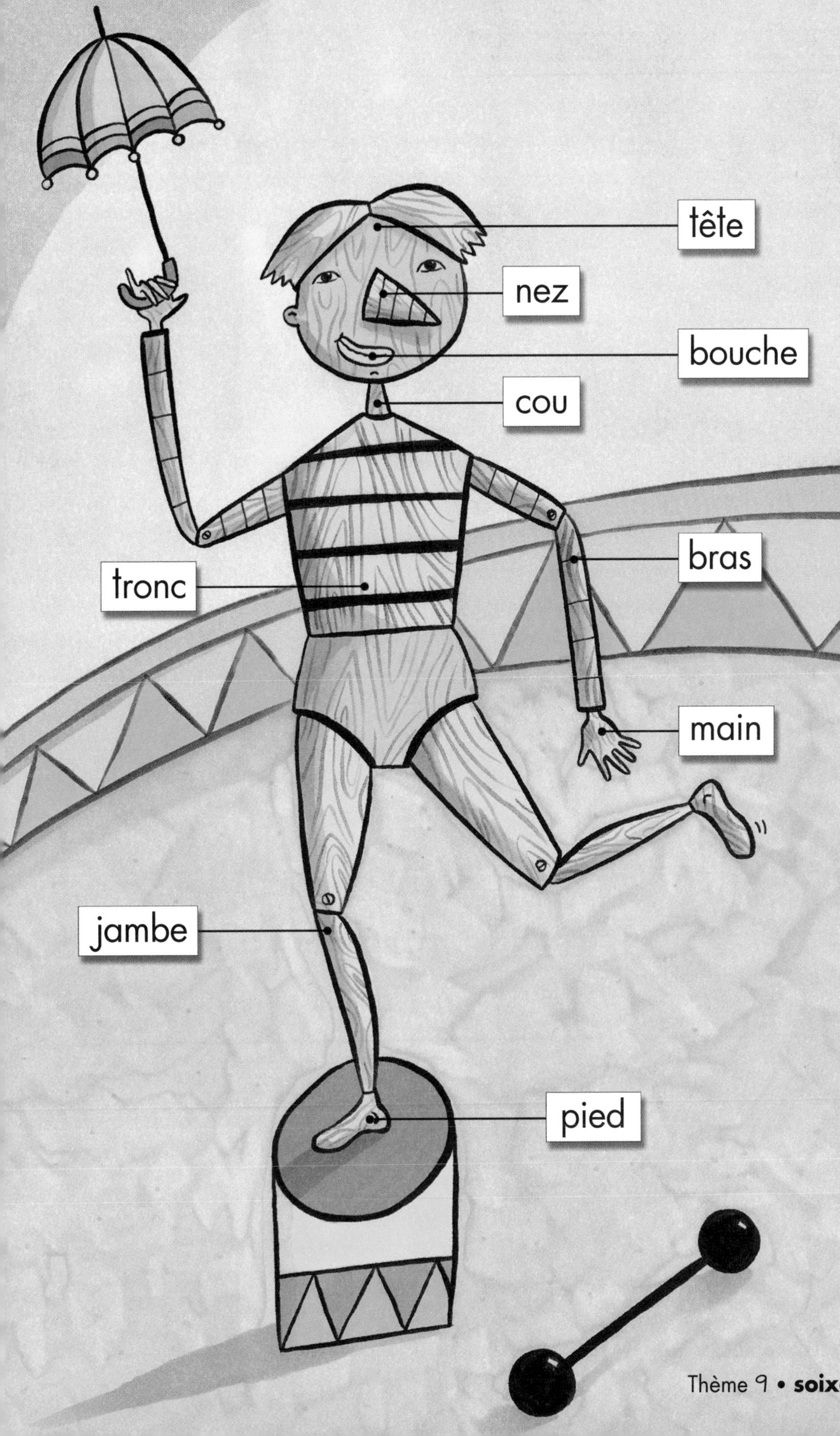

Fabien a réussi à assembler son pantin.

Lis encore une fois le nom des parties du corps du pantin. Commence par la tête.

tête

nez

bouche

cou

bras

tronc

main

jambe

pied

Vérifie si tu as bien écrit le nom des parties du corps du pantin dans l'activité de la page 70.

Le savais-tu?

Ta tête est composée de 22 os.

De la tête aux pieds

Si tu devais décrire un ou une camarade, par quoi commencerais-tu ?

1. Lis le poème.
2. Observe l'ordre qui a été suivi pour décrire Frédéric.

Frédéric est mon ami.
Il a une belle **tête.**
Ses **yeux** sont gris.
Son **nez** est petit.
Sa **bouche** sourit.

Ses **mains** sont habiles.
Ses longs **bras** sont très utiles.
Ses **jambes** sont longues.
Ses **pieds** sont grands.

Frédéric est mon ami.
Je l'aime ainsi.
Et toi ?

Godelieve De Koninck

Cette description t'aide sûrement à te représenter Frédéric. Dessine-le tel que tu l'imagines.

Écris deux phrases pour décrire un ou une camarade. Inspire-toi de la description de Frédéric. Fais des rimes si tu veux.

Qui est Manuela ?

Manuela est une charmante fillette.
Elle a les cheveux bruns.
Son nez est retroussé.
Elle a toujours la bouche ouverte.
Elle a un livre dans les mains.

Sais-tu ce que signifie *avoir le sens de l'observation* ? Penses-tu l'avoir ?

1. Lis le texte.

2. Regarde les illustrations.

1

2

Avoir le sens de l'observation, c'est regarder attentivement et remarquer tous les détails.

3

Quelle illustration représente Manuela ?

Transcris la phrase du texte qui t'a permis de reconnaître Manuela.

Les parties de mon corps

As-tu déjà pensé à l'utilité de chacune des parties de ton corps?

1. Lis les phrases.

2. Remarque les mots en caractères gras. Ce sont des verbes qui expriment des actions.

Écris ce que tu peux faire avec ta tête, avec tes bras et avec tes jambes. Fais des phrases complètes.

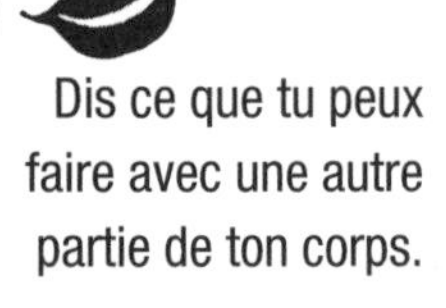

Dis ce que tu peux faire avec une autre partie de ton corps.

Que peux-tu faire avec ta tête?
Avec ta tête, avec ta tête?
Avec ma tête, je peux **dire** oui.
Avec ma tête, je peux **dire** non.

Que peux-tu faire avec tes bras?
Avec tes bras, avec tes bras?
Avec mes bras, je peux **nager.**
Avec mes bras, je peux **serrer.**

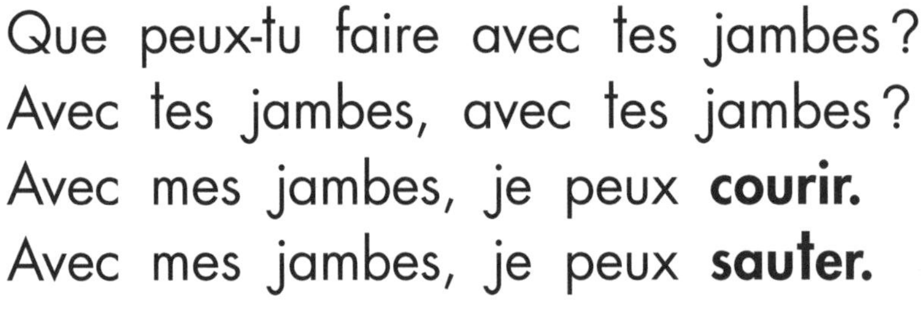

Que peux-tu faire avec tes jambes?
Avec tes jambes, avec tes jambes?
Avec mes jambes, je peux **courir.**
Avec mes jambes, je peux **sauter.**

Je remarque

Les mots qui décrivent des **actions** s'appellent des **verbes.**
Exemples : Je **saute** de joie.
Elle **court** sur le trottoir.

Je peux lire des phrases.

Pablo est mon ami.
Il a une belle tête.
Ses yeux sont noirs.
Son nez est mignon.
Sa bouche sourit.

Ses mains sont habiles.
Ses bras sont très utiles.
Ses jambes sont courtes.
Ses pieds sont petits.

Je peux reconnaître des mots.

Je reconnais des syllabes dans des mots.

ran	man	pan
orange	charmante	pantin
dans	gran	man
dans	grandir	je mange

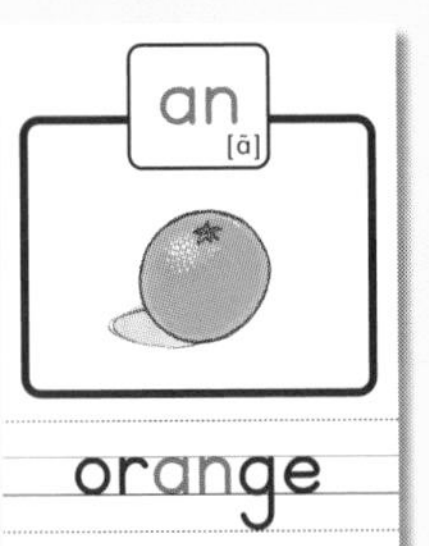

Je reconnais des lettres dans des mots.

Hh
huit
charmante
bouche
histoire

Bb
bleu
bouche
bras
jambe

Aa
Arielle
je saute
main
amie

a b c d e f g h i j k l m n o p q r s t u v w x y z

Trouve les lettres manquantes dans les mots.

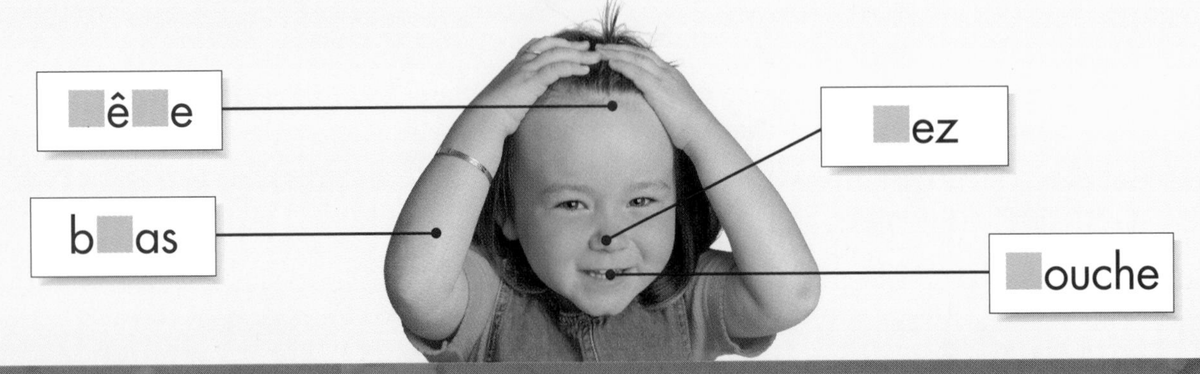

1. Lis les phrases suivantes.
2. Quels mots désignent les parties du corps du pantin ?

Cassandre construit un pantin de carton.

Elle découpe le tronc du pantin.

Elle attache la tête au cou.

Elle fixe les jambes et les bras au tronc.

Elle attache les pieds aux jambes.

1. Dessine ou calque ton animal préféré.
2. Écris le nom des parties de son corps.

1. Lis les deux phrases ci-dessous.
2. Écris deux autres phrases en utilisant des mots que tu as appris cette semaine.

J'ai deux yeux.

Elle a une bouche.

1. D'après toi, quelle partie du corps est la plus importante ?
2. Pourquoi ?

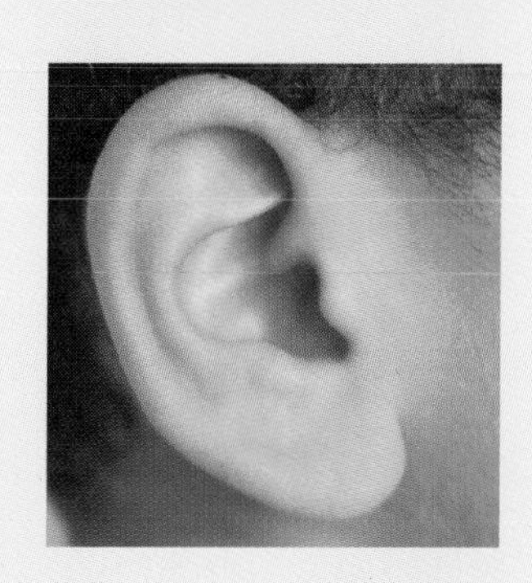

Thème **10**

Tout ce que je sais faire

Je suis capable de m'habiller

As-tu parfois de la difficulté à t'habiller ?

1. Observe les illustrations.
2. Compare ce que font les enfants avec ce que tu sais faire.

❶ Mélie est capable de nouer ses lacets seule. Elle aide même ses amis et amies.

❷ Simon est le spécialiste des fermetures éclair. Il est toujours prêt à aider les autres.

Le savais-tu ?

Quand une personne est capable de faire des choses seule, on dit qu'elle est autonome.

❸ Arielle porte des vêtements qui s'attachent avec des bandes velcro.

1. Que fais-tu le plus facilement quand tu t'habilles ?
2. Qu'est-ce qui te cause le plus de difficulté ?
3. Lorsque tu as de la difficulté, demandes-tu de l'aide ?

Je remarque

La **phrase** est une suite de mots ordonnés. Elle transmet une idée ou un message.

Je travaille sur ordinateur

❶ Les images ou les textes produits
par ordinateur apparaissent sur moi.
Au cinéma, je suis beaucoup
plus grand.
Qui suis-je ?

❷ Je sers à pointer et à diriger
tout ce qui se passe à l'écran.
Je porte le nom d'un petit rongeur.
Qui suis-je ?

❸ Parfois, je suis fatigué. La personne
qui utilise l'ordinateur tape sur moi
sans arrêt pour écrire.
Qui suis-je ?

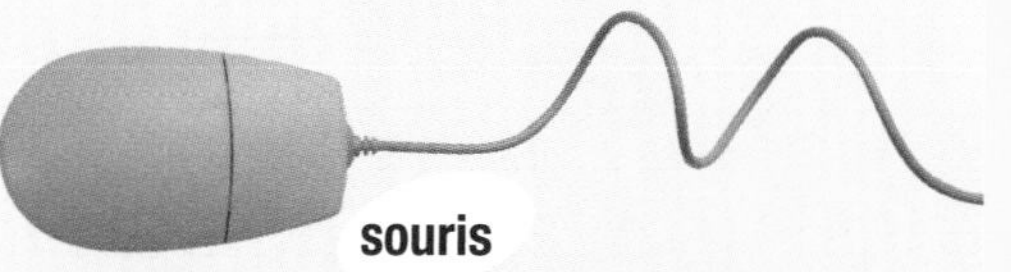

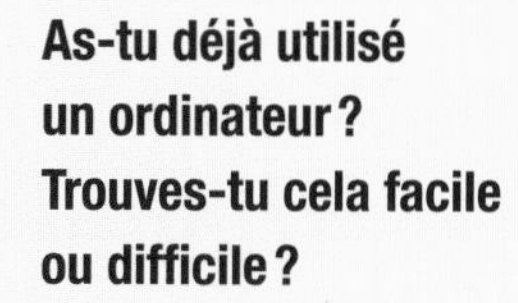

As-tu déjà utilisé un ordinateur ? Trouves-tu cela facile ou difficile ?

1. Lis les devinettes.
2. Trouve les réponses.
3. Remarque comment s'écrivent les mots liés à l'ordinateur.

Quelles sont les réponses aux devinettes ?

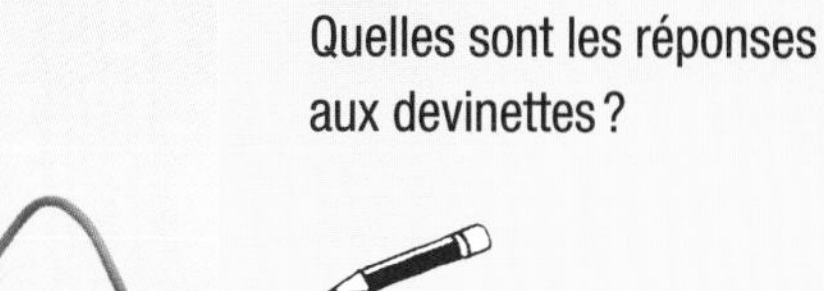

1. Connais-tu d'autres mots liés à l'ordinateur ?
2. Écris-les.

Je m'acquitte de mes tâches

Dans une famille, tout le monde exécute des tâches.

1. Lis les phrases.
2. Remarque les trois groupes de mots en caractères gras. Ils disent ce que font les personnages.

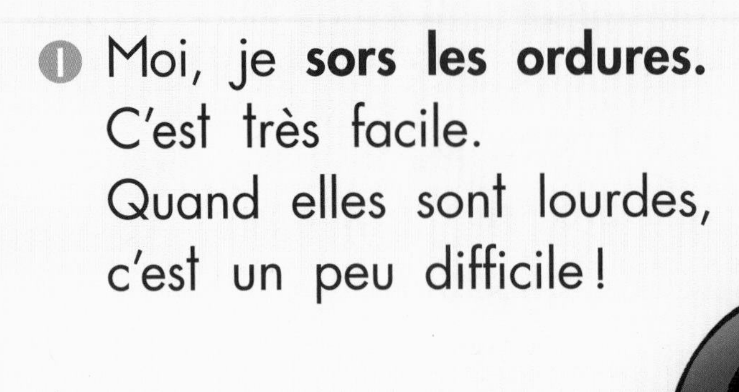

❶ Moi, je **sors les ordures.**
C'est très facile.
Quand elles sont lourdes,
c'est un peu difficile !

❷ Moi, je **mets la table.**
Parfois, j'oublie les fourchettes.
Les Chinois et les Chinoises, eux,
mangent avec des baguettes.

❸ Moi, je **fais la salade.**
Je mélange tous les légumes
que je trouve
dans le réfrigérateur.

1. Quelle tâche dois-tu accomplir chez toi ?
2. Aimes-tu cela ?
3. Explique pourquoi.
4. Que pourrais-tu faire d'autre pour aider à la maison ?

Je choisis mes émissions

❶ Chez lui, Simon a la permission de regarder la télévision la fin de semaine. Il choisit les émissions sur les animaux.

❷ Mélie n'a pas le temps de regarder la télévision en semaine. Elle a beaucoup d'activités: elle joue au soccer, elle bricole et elle fait ses devoirs.

Les émissions de télévision sont très nombreuses. As-tu de la difficulté à les choisir?

Lis les habitudes de deux personnes différentes. Elles t'aideront sans doute à parler des tiennes.

Quand regardes-tu la télévision?

En équipe, prépare un sondage pour une autre classe. Pose deux questions:

- Quelle est votre émission préférée?
- Quand regardez-vous la télévision?

1. Quel est le résultat du sondage?
2. Qu'en penses-tu?
3. Discutes-en.

Mélie et la pluie

T'arrive-t-il parfois de faire des activités qui sortent de l'ordinaire? Par exemple, aimes-tu marcher sous la pluie?

Lis la dernière aventure de Mélie. Tu reconnaîtras plusieurs mots.

L'autre jour, après une grosse pluie, Mélie voulait jouer dehors. Sa maman lui dit:

— Mélie, tu peux sortir si tu t'habilles chaudement.

Mélie enfile donc son chandail de laine et ses bottes. Elle sautille dans les grandes flaques d'eau. Soudain, elle glisse et tombe dans la boue. Elle revient à la maison en courant.

— Maman, regarde, je suis trempée de la tête aux pieds.

— Et tu es sale aussi, dit sa maman. Va prendre un bain.

Mélie prend son bain. Elle lave ses mains, ses bras et ses jambes. Ensuite, elle met son pyjama.

Elle s'assoit devant la télévision. Mélie est chanceuse. C'est l'heure de son émission favorite: *À l'eau!*

Godelieve De Koninck

1. Quels mots as-tu reconnus?
2. Écris-les. Efforce-toi de bien tracer les lettres.

1. Y a-t-il des activités inhabituelles que tu aimes faire?
2. Discutes-en en équipe.

Je fais une pause avec Bravo

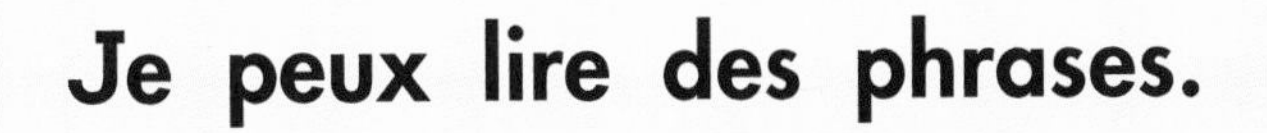

Je peux lire des phrases.

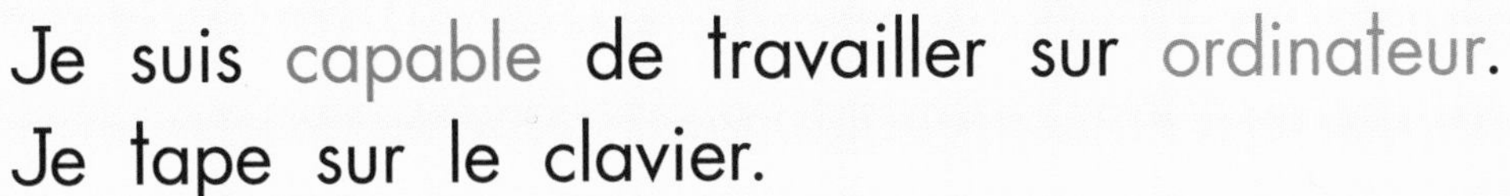

Je suis capable de travailler sur ordinateur.
Je tape sur le clavier.

Mélie a les mains sales.
Elle doit les laver.

Ce soir, Simon regarde la télévision.

Je peux reconnaître des mots.

ordinateur	lourd	capable
télévision	lourde	facile
eau	gros	difficile
sale	grosse	

Je reconnais des syllabes dans des mots.

peau beau teau
chapeau beaucoup bateau

jau maux chau
jaune animaux chaudement

Je reconnais des lettres dans des mots.

Oo
Bravo
ordinateur
velcro
grosse

Cc
cahier
capable
écran
activité

Tt
table
ordinateur
télévision
tête

a b c d e f g h i j k l m n o p q r s t u v w x y z

Quelle lettre se cache sous chaque souris ?

facil ... au difficile

ordinateur clavier sal

Lis le texte suivant.
Tu découvriras ce que Pablo sait faire.

Maintenant que j'ai grandi, je suis capable de faire beaucoup de choses.

Je suis capable de m'habiller.

Je commence à écrire des mots à l'ordinateur.

J'aide à la cuisine.
Je prépare des salades délicieuses.

1. Pense à une tâche que tu exécutes particulièrement bien.
2. Écris-la.

1. Demande à tes camarades ce qu'ils et elles sont capables de faire sans aide.
2. Font-ils ou font-elles des choses différentes de celles que tu sais faire?

Défi

Quand on grandit, c'est plus facile de faire les choses.

1. Y a-t-il une activité particulière que tu rêves de réussir?
2. Écris-la ou explique-la dans tes mots.

Thème 11

Les gens que j'aime

Chez Mathilde

Vivre avec d'autres personnes, c'est agréable. Parfois, c'est un peu difficile !

1. Lis le texte.
2. Remarque les mots qui expriment le plaisir de vivre ensemble.

❶ Chez moi, il y a papa Marco.
Il me dit de petits mots tout en douceur…
Des mots qui me font sourire,
des mots pour m'endormir.

Marco

❷ Chez moi, il y a maman Nathalie.
Elle est si jolie quand elle rit.
Ris encore, ris souvent avec moi.

❸ Chez moi, il y a mon frère Hubert.
Il est petit et très gentil.
Il a de grands yeux clairs.
Il veut souvent jouer avec moi.

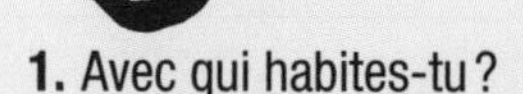

1. Avec qui habites-tu ?
2. Comment s'appellent les membres de ta famille ?
3. Qui te fait rire ou sourire le plus ?
4. Écris le nom de cette personne.
5. Illustre-la.

Je remarque

Les mots qui servent à préciser comment sont les personnes, les choses et les lieux s'appellent des **adjectifs.**
Exemples : de **grands** yeux, mon **petit** frère.

La famille de Mathilde

Marco et Nathalie sont les **parents** d'Hubert et de Mathilde.

Hélène et Samuel sont les **parents** de Marco. Ils demeurent tout près d'ici. Ils gardent souvent leurs **petits-enfants.**

Victor et Rosina sont les **parents** de Nathalie. Ils demeurent en France. Ils envoient souvent des messages par courriel.

Hélène et Samuel, Victor et Rosina sont donc les **grands-parents** d'Hubert et de Mathilde.

Il y a des familles nombreuses et d'autres moins nombreuses.

1. Lis le texte.
2. Remarque tous les mots qui ont un lien avec la famille.

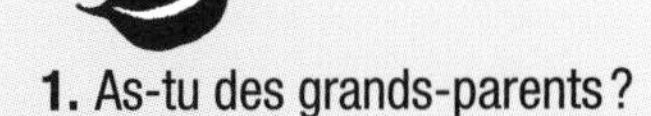

1. As-tu des grands-parents ?
2. Les vois-tu souvent ?
3. Que fais-tu avec eux ?

Une fête de famille

Une famille se compose de personnes ayant un *lien de parenté* entre elles.

1. Lis les phrases.
2. Remarque les mots en caractères gras pour comprendre ce qu'est un *lien de parenté.*

Les **parents** de Mathilde, Nathalie et Marco, aiment leur famille. Dans la maison, ça fourmille.

Il y a Victor et Rosina, les **grands-parents.** Ils sont bien contents.

Il y a **tante** Isabelle, la **soeur** de Marco. Elle apporte un gros gâteau.

Il y a **oncle** Benoît, le **frère** de Nathalie. Il a un gros appétit !

Il y a aussi les **cousins** et les **cousines.** Ils aiment bien les tartines. C'est avec eux que Mathilde s'amuse le plus.

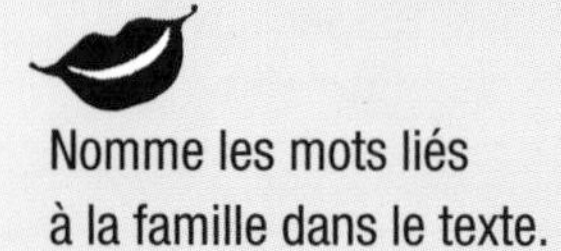

Nomme les mots liés à la famille dans le texte.

Transcris les mots du texte liés à la famille.

Un lien de parenté est une relation familiale unissant deux ou plusieurs personnes entre elles.

Trop de frères

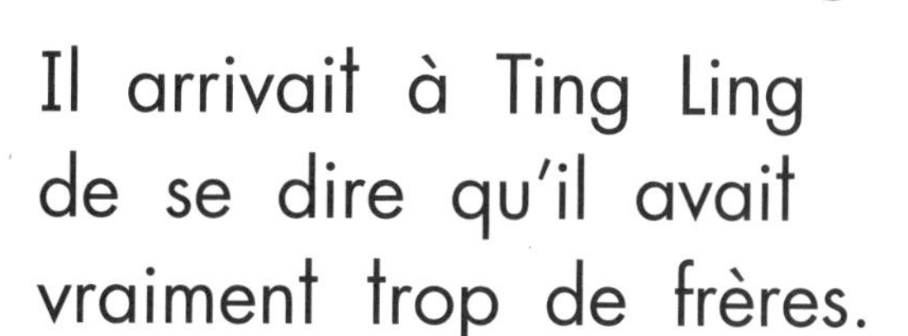

Il arrivait à Ting Ling
de se dire qu'il avait
vraiment trop de frères.

T'arrive-t-il de penser qu'il serait plus agréable de vivre dans une autre famille ?

Lis ou écoute l'histoire pour comprendre le sens des mots *avantage* et *inconvénient*.

Quand il avait envie
d'une nouvelle canne
à pêche, c'était au tour
de son second frère
d'en recevoir une.

Quand Ting Ling voulait
une nouvelle tunique,
sa mère avait juste assez
de tissu pour en faire une
à son troisième frère.

S'il ne restait qu'un seul bol de riz ou une galette, son quatrième, son cinquième, son sixième ou son septième frère l'avalaient avant lui.

Mais, à la fin de l'année, arrivait la fête des Cerfs-volants. Ting Ling compta les cerfs-volants qui planaient dans les airs.

— Huit, murmura-t-il avec fierté. Plus que n'importe quelle autre famille du village. Ting Ling se dit que ses sept frères n'étaient pas trop nombreux pour son bonheur.

Selon Kathryn Jackson, « Trop de frères »,
365 histoires : un conte pour chaque jour de l'année,
Paris, © Hachette Livre, Éditions des deux coqs d'or, 1983, p. 79.

1. Écris un avantage de faire partie d'une famille nombreuse.
2. Écris un avantage de faire partie d'une famille peu nombreuse.

Je fais une pause avec Bravo

Je peux lire des phrases.

Je vous présente ma famille.

Il y a mes parents : Marco et Nathalie.
Mon père est gentil. Ma mère est jolie.

Il y a deux enfants : Hubert et moi, Mathilde.
Mon petit frère aime jouer avec moi.

Je peux reconnaître des mots.

famille — soeur

parents  — joli — petite 

enfant   — jolie — je ris 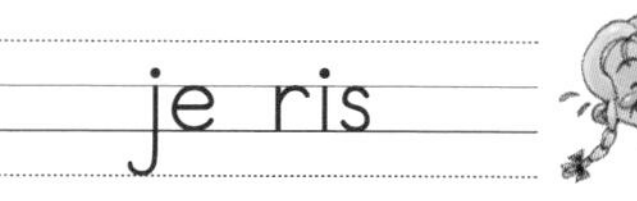

frère  — petit  — moi

Je reconnais des syllabes dans des mots.

pi	pa	pê
copine	papa	pêche
pe	por	po
petit	apporter	poli

P [p]

pomme

Je reconnais des lettres dans des mots.

Ss
oiseau
cousine
baiser
Rosina

Ff
fenêtre
enfant
famille
frère

Rr
rouge
je ris
soeur
parent

a b c d e f g h i j k l m n o p q r s t u v w x y z

Forme des mots avec les syllabes.

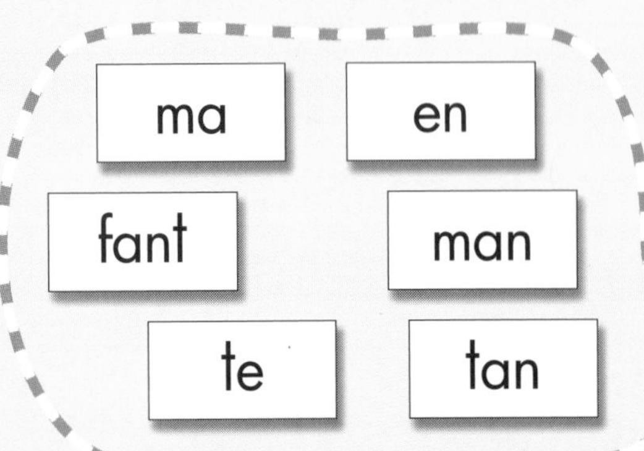

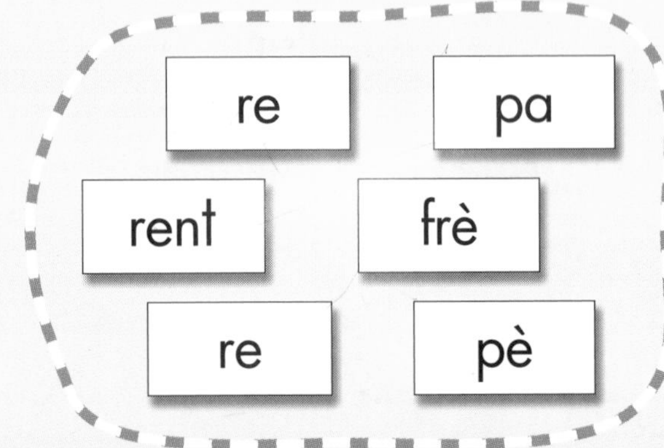

1. Lis le texte suivant.
2. Relève les mots liés à la famille.

Alexandre est content lorsque
c'est l'anniversaire de sa grand-mère.

Il est reçu à dîner chez son oncle
et sa tante pour célébrer l'événement.

Il s'amuse avec ses cousins et ses cousines.
Pendant ce temps, ses parents parlent
avec les autres membres de la famille,
les amis et amies.

1. Quelle personne de ta parenté
   connais-tu le mieux ?
2. Écris une ou deux phrases
   pour la présenter.
3. Utilise des adjectifs.

1. Comprends-tu mieux les liens qui unissent les membres d'une famille ?
2. Dessine les membres de ta famille.

Quelle activité aimes-tu faire en famille ?

Thème 12

Autour de chez moi

Le trajet de Simon

Connais-tu le nom de ta rue ? Connais-tu les maisons ou les tours d'habitation près de chez toi ?

1. Lis le texte.
2. Remarque les mots qui aident à se situer dans l'espace.

Il fait beau. Simon a envie de sortir. Il veut aller jouer chez Arielle, dans la cour **à l'arrière de** sa maison. Il connaît le chemin.

En sortant de chez lui, Simon tourne **à droite.** Il passe **à côté d'**une flaque d'eau. Il attrape une jolie coccinelle rouge au passage. Il la met dans la poche de son blouson.

La maison d'Arielle est **du** même **côté de** la rue que l'appartement de Simon. Avant d'arriver, il aperçoit une autre coccinelle. Il la met aussi dans sa poche.

Simon a maintenant deux coccinelles. Une pour Arielle et une pour lui. Il tourne **à droite** dans l'entrée de la maison d'Arielle. Il sonne.

Arielle et Simon jouent maintenant dehors avec les coccinelles.

Trouve les phrases qui décrivent le trajet de Simon.

Dessine le trajet de Simon. Sers-toi des mots qui sont en caractères gras dans le texte.

Je remarque

Certains mots sont très utiles pour **s'orienter.** Ils sont aussi utiles pour **situer** les choses et les personnes.
Exemples : à droite, à gauche, en avant, en arrière.

Bravo à la campagne

Connais-tu quelqu'un qui habite à la campagne ? Tu y habites peut-être toi-même.

1. Lis le texte.
2. Remarque les mots qu'il faut connaître pour s'orienter ou pour indiquer la bonne direction à une personne.

1. Indique l'endroit où les enfants jouent.
2. Trouve les mots qui le disent dans le texte.
3. Écris ces mots.
4. Écris une phrase en utilisant les mots que tu as trouvés.

Aujourd'hui, Bravo doit livrer le courrier à la campagne. Il passe **à côté de** la maison de Justine.

Il traverse le petit pont **au-dessus du** ruisseau. Il voit ses amis, les animaux, qui sont **plus loin.**

Derrière la grange, Justine et Olivier jouent à la balle. La balle roule **sous** la charrette, **près du** pommier. Bravo la ramasse.
Il la rapporte aux enfants.

Un jour de pluie

Il pleut. Simon invite Mélie et Pablo à jouer chez lui. Il habite dans un grand appartement.

Mélie veut dessiner avec les nouveaux crayons-feutres de Simon.

Pablo a très envie de s'installer, seul, à l'ordinateur.

Simon préfère jouer avec ses deux amis. Avec eux, il veut faire des courses de voitures d'un bout à l'autre du corridor.

Même s'il pleut, on peut s'amuser. Rien n'empêche de jouer à l'intérieur !

Lis le texte. Tu pourras suggérer une solution au problème de Mélie, de Pablo et de Simon.

1. Penses-tu que les trois amis parviendront à s'entendre ?
2. En équipe, pense à une solution.
3. Invites-tu des amis et des amies chez toi pour jouer ?
4. Que faites-vous ?

Dans ma maison

Connais-tu des mots utiles pour situer les objets, les personnes ou les lieux ?

1. Lis le texte.

2. Observe les mots qui te situent dans l'espace.

1. Dans cette comptine, combien de mots ont un lien avec l'espace ?

2. Compare ta réponse avec celle de tes camarades.

Au-dessus de mon front,
Il y a le plafond !
Par-dessus le plafond,
Le grenier de la maison !
Au-dessus du grenier,
Le toit de la maison !
Et tout autour,
Quatre pans de mur,
Avec des fenêtres
Pour voir à travers,
Avec des portes
Pour qu'on sorte !
Et sous mes pieds,
Il y a le plancher !
Par-dessous le plancher ?...
La cave et le cellier !

Marie Tenaille, « Dans ma maison », *Le grand livre des comptines,* Paris, © Éditions Fleurus, 1990, p. 40.

Le savais-tu ?

Dans un poème, on peut commencer chaque vers par une majuscule même si la phrase n'est pas terminée.

Je peux lire des phrases.

La coccinelle marche à gauche de la table.
Elle s'arrête devant la table. Elle se cache sous la table.
Elle monte sur la table. Finalement, elle descend
et s'en va à droite de la table.

Je peux reconnaître des mots.

chemin	à gauche	devant
maison	à droite	sous
je tourne	derrière	sur

Je reconnais des syllabes dans des mots.

rou	gre	ra
rouge	grenier	ramasser
trée	ri	gran
entrée	Arielle	grange

Je reconnais des lettres dans des mots.

Vv	Hh	Uu
vert	huit	légume
devant	chemin	sur
livrer	marcher	Justine
inviter	poche	peinture

a b c d e f g h i j k l m n o p q r s t u v w x y z

Choisis la bonne syllabe pour faire une rime.

maison rime avec **pla**

fer
fond
fou

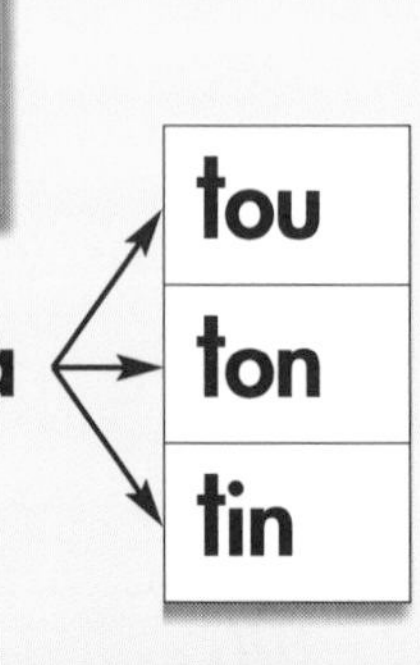

chemin rime avec **ma**

tou
ton
tin

1. Lis le texte suivant.
2. Reconnais-tu des mots qui ont un lien avec l'espace ?

Hier, je suis allée marcher avec mon père. Nous sommes passés à côté du parc. Puis, nous avons traversé la première rue, à droite. Ensuite, nous avons vu des chiens qui couraient l'un derrière l'autre près de la fontaine. Finalement, nous sommes revenus à la maison.

Écris une ou deux phrases pour indiquer où se trouve ton pupitre dans la classe.

Donne des directions à suivre pour trouver un objet caché.

1. En équipe, prépare une chasse au trésor. Donne des indices en utilisant les mots que tu as appris cette semaine.
2. Discute d'un prix à remettre aux gagnants et aux gagnantes !

Le courrier de Bravo

Bravo aimerait savoir comment s'est déroulée la chasse au trésor dans ta classe.
Écris-lui une lettre.

1. Observe les couvertures de livres.
2. Laquelle te frappe le plus ?
3. Explique pourquoi.

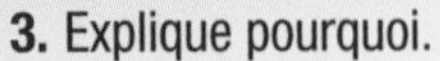

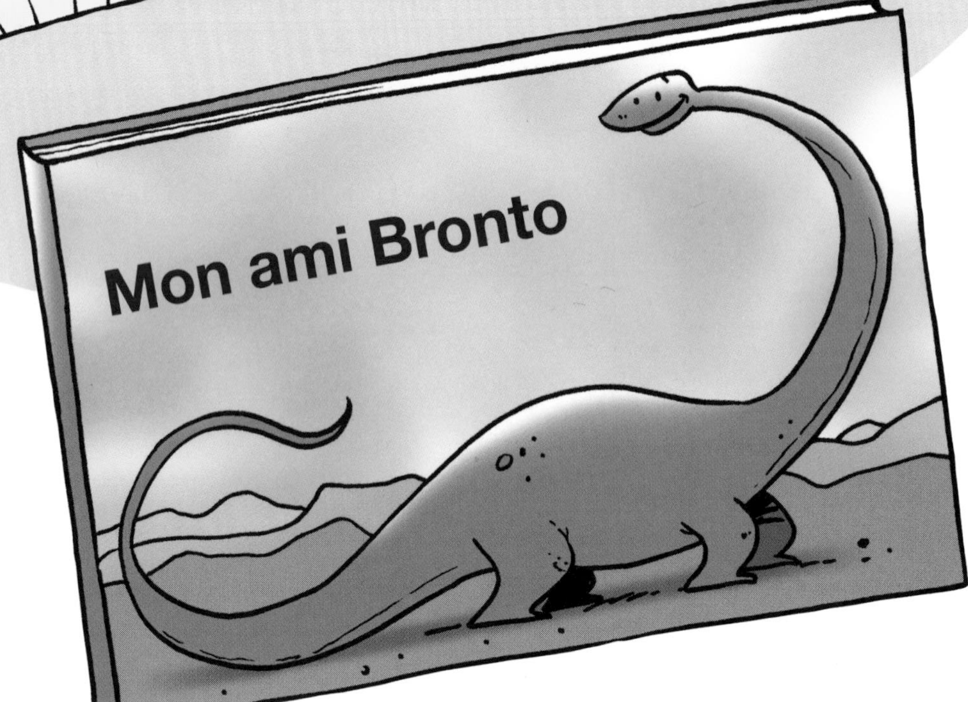

4. En équipe, manipule quelques livres sans les ouvrir. Qu'est-ce qui te frappe le plus :
   - la couleur ?
   - la taille ?
   - l'illustration ?
5. Quel livre as-tu envie d'ouvrir ? Pourquoi ?

Vive le temps des fêtes !

Thème 13

Pourquoi y a-t-il un temps des fêtes ?

Comment se passent les fêtes chez toi ?

Sais-tu que certaines personnes croient que le temps des fêtes n'existe que pour recevoir des cadeaux ?

Lis les textes. Tu sauras quels autres plaisirs procure le temps des fêtes.

1. Cette année, nous avons invité les voisins à réveillonner.
Ils ne connaissent pas cette coutume.
Ils viennent d'arriver au Canada.
Ce sera amusant !

2. J'irai à Québec pour Noël.
J'ai hâte de jouer dans la neige avec mes cousins et mes cousines.
J'habite Ottawa ; il n'y a pas autant de neige ici.

1. Aimes-tu le temps des fêtes ?
2. Explique pourquoi.
3. Pose cette même question à quelques camarades.
4. Les réponses se ressemblent-elles ?
5. Discutes-en.

Comment se passent les fêtes ailleurs ?

Les fêtes sont célébrées de diverses façons. Sais-tu comment ça se passe dans d'autres pays ?

Lis les courts textes. Tu en sauras plus.

❶ Au Japon, le 31 décembre, à minuit, les cloches sonnent 108 coups.

❷ En Angleterre, des enfants chantent des chants traditionnels devant les maisons. Ils et elles reçoivent des bonbons en retour.

Que se passe-t-il de particulier au Japon et en Angleterre ?

1. Transcris les deux noms de pays.
2. Connais-tu un autre nom de pays?
3. Écris-le.

Je remarque

Les noms de **pays** et de **villes** prennent une lettre **majuscule** au début.
Exemples : **C**anada, **C**hicoutimi.

Des cadeaux appréciés

Sais-tu la différence entre ce qui est *agréable*, ce qui est *utile* et ce qui est *nécessaire*?

Lis les courts textes pour mieux faire la différence.

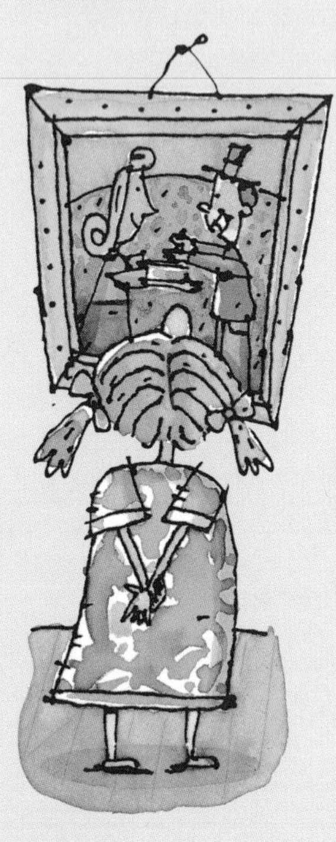

1. Pour aller acheter un pain au dépanneur, ça va plus vite de s'y rendre à bicyclette. Je peux quand même y aller à pied.

2. Quand je regarde cette peinture, je suis de bonne humeur. Les couleurs sont belles. Les personnages sont joyeux.

3. L'ordinateur est l'outil de travail de maman. Elle est comptable. Elle doit faire des tableaux et les remplir de chiffres.

1. D'après toi, quel objet est *agréable*?
2. Lequel est *utile*?
3. Lequel est *nécessaire*?
4. Explique ta réponse.

Écris le nom d'un objet qui est utile pour toi.

Le père de Noëlle

Encore une fois, mon père vient de partir.

Il navigue dans le ciel, sur son traîneau volant, rempli de cadeaux qu'il va distribuer aux enfants. C'est sa mission.

Mais combien d'enfants
y a-t-il sur la planète ?
Et de pays et de continents
à traverser ? Sûrement trop.
Parce que mon père n'est
JAMAIS, JAMAIS là à Noël.

Quelle est ton histoire de Noël favorite ?

1. Écoute l'histoire de Noëlle.
2. Suis le texte dans ton manuel avec une règle pour ne rien perdre.

1. Continue l'histoire.
2. Imagine une fin qui rendrait Noëlle joyeuse.
3. Trouve un autre titre.
4. Fais cette activité avec un ou une camarade.

Je déteste Noël !

Et les cadeaux aussi !

Parce que, la nuit de Noël, j'ai
un père qui aime mieux faire le fanfaron
au-dessus des maisons et se salir
de suie dans les cheminées.
Il préfère prendre tous les enfants
de la Terre sur ses genoux, au lieu
d'être avec moi.

Linda Brousseau, *Le père de Noëlle,* Montréal,
Éditions Pierre Tisseyre, 1990, p. 5, 8
(Coll. Coccinelle).

Je fais une pause avec Bravo

Je peux lire des phrases.

Parfois, je reçois mes amis et amies à la maison.

Je joue souvent dans la neige.

J'aime beaucoup les décorations de Noël.

Je chante de belles chansons avec ma voisine.

Je peux reconnaître des mots.

neige	joyeux	je chante
Noël	joyeuse	je reçois
voisin	beau	moi
voisine	belle	

Je reconnais des syllabes dans des mots.

poi	voi	toi
poire	voisin	histoire
quoi	çois	moi
pourquoi	je reçois	moi

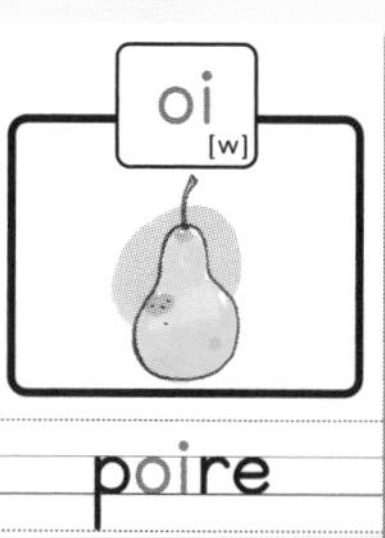

Je reconnais des lettres dans des mots.

Qq	quatre pourquoi quand fabriquer	Ww	wigwam Ottawa wapiti wagon	Yy	pyjama joyeux paysage bicyclette

a b c d e f g h i j k l m n o p q r s t u v w x y z

Amuse-toi à lire les lettres le plus rapidement possible !

d p b P p d b q D d Q B

1. Lis les phrases suivantes.
2. Transcris les mots qui ont un lien avec le temps des fêtes.

Vive le temps des fêtes.
On a des chansons plein la tête.

On voit nos amis et amies.
Avec eux, on joue et on rit.

Parfois, on fabrique des cadeaux.
Ils sont toujours très beaux.

Parfois, on décore la maison.
En famille, nous nous amusons !

1. Qu'aimes-tu faire durant le temps des fêtes ?
2. Écris deux phrases en utilisant quelques-uns des mots que tu as transcrits.

1. En équipe, dresse une liste des cadeaux que tu aimerais offrir.
2. Classe-les selon que tu les trouves agréables, utiles ou nécessaires.

1. Avec un ou une camarade, découpe des illustrations d'objets.
2. Sur une feuille, colle les illustrations qui représentent des cadeaux *agréables*.
3. Sur une deuxième feuille, colle les illustrations qui représentent des cadeaux *utiles*.
4. Sur une troisième feuille, colle les illustrations qui représentent des cadeaux *nécessaires*.

Thème 14

Décorons la classe !

Pourquoi décorer ?

Sais-tu ce que signifie le mot *décorer* ?

1. Lis les trois textes.
2. Remarque les occasions qui incitent les gens à décorer.

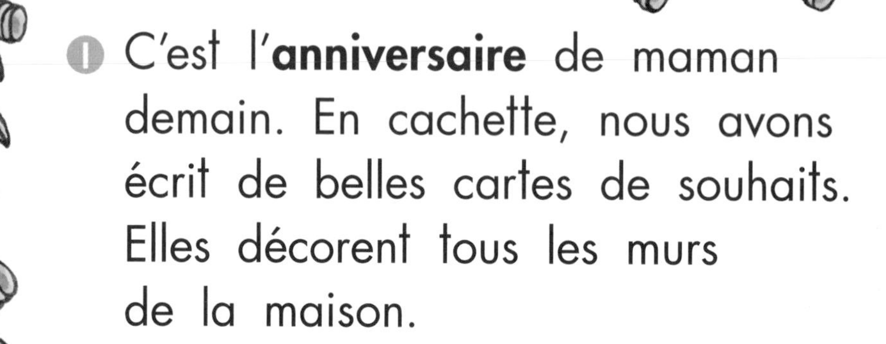

❶ C'est l'**anniversaire** de maman demain. En cachette, nous avons écrit de belles cartes de souhaits. Elles décorent tous les murs de la maison.

❷ Mon équipe de gymnastique a participé à un **tournoi** samedi. Le gymnase était décoré de banderoles de toutes les couleurs.

❸ Ce sera bientôt **Noël.** Les rues de la ville sont décorées. Il y a des sapins garnis de jeux de lumières blanches, rouges et vertes. On se croirait dans un royaume enchanté.

1. Que signifie le mot *décorer* ? Aide-toi des textes pour répondre.
2. D'après toi, pourquoi décore-t-on ?

Je décore ma classe

1. Je décore ma classe pour l'égayer. C'est plus agréable d'apprendre dans une ambiance de fête.

2. Je décore ma classe parce que j'aime bricoler. Au bout d'un certain temps, j'apporte mes décorations à la maison. Ça me rappelle mes amis et amies.

3. Je décore ma classe parce que j'aime travailler en équipe. Nous partageons nos idées. Nous nous aidons. Nous rions ensemble.

On peut décorer pour différentes raisons : pour embellir, pour exprimer sa joie, etc.

Lis les raisons pour lesquelles ces trois élèves décorent.

Pourquoi décores-tu ta classe ?

Écris ta réponse en donnant deux raisons.

Je remarque

Dans une phrase, le nom peut être au **singulier** ou au **pluriel.**
Exemples : ma classe (singulier), mes décorations (pluriel).

Une décoration de Noël

As-tu des idées pour décorer la classe ?

Lis les étapes à suivre pour faire un petit sapin de Noël. Ensuite, tu pourras en fabriquer un.

1. Fabrique un cône avec une feuille de papier de bricolage vert, ou prends un chapeau de fête.

2. Déchire de petits morceaux de papier de soie de différentes couleurs. Froisse-les pour en faire de petites boules.

3. Colle les boules sur le cône.

4. Ajoute d'autres décorations si tu le désires.

Voilà un joli sapin à placer sur ton pupitre. C'est une façon amusante de créer une ambiance des fêtes dans la classe !

1. Pourrais-tu faire une autre décoration ?
2. Si oui, laquelle ? Si tu manques d'idées, va à la bibliothèque chercher un livre sur le bricolage ou regarde dans Internet.

1. En équipe, choisis une décoration.
2. Écris les étapes à suivre pour la fabriquer.
3. Fais des échanges avec les autres équipes.

Hansel et Gretel

Hansel et Gretel étaient perdus dans la forêt.

Connais-tu l'histoire de Hansel et Gretel ?

Lis le texte. On y parle d'une maison joliment décorée.

Le lendemain matin, au lever du jour,
les enfants essayèrent de retrouver leur chemin.

— Nous tournons en rond, pleura Hansel.

— J'ai tellement faim ! sanglota Gretel.

Ils entendirent alors le chant merveilleux
d'un oiseau. Ils se laissèrent guider
par ce chant et arrivèrent à une clairière,
au milieu de la forêt.

— Est-ce que tu vois ce que je vois, Hansel ?
dit Gretel tout excitée.

Sans trop y croire, les deux enfants regardèrent la maison en pain d'épice avec son toit de biscuits et ses fenêtres de sucre. Les fleurs du jardin étaient en bonbons et en petits gâteaux, et la maison était entourée d'une clôture en mokas et en torsades de crème.

— Regarde ! s'écria Hansel. Les piliers sont en sucre d'orge et il y a des pastilles au citron.

— Le pain d'épice est tendre et frais ! dit Gretel.

— Le toit est délicieux, déclara Hansel.

— Qui mange ma maison ? demanda une petite voix venant de l'intérieur.

Selon Nicole Ferron, extrait du conte « Hänsel et Gretel », tiré du livre *Blanche Neige et aussi Hansel et Gretel*, Montréal, Les Éditions Tormont, © 1995, p. 45-48.

Connais-tu la fin de cette histoire ? Demande à quelqu'un de te la lire.

1. Imagine une autre jolie maison pour la sorcière.
2. Dessine-la.
3. Utilise beaucoup de couleurs pour la rendre attrayante.

Je fais une pause avec Bravo

Je peux lire des phrases.

On décore la classe pour Noël.

Une équipe découpe des sapins
et les colle sur les murs.

Des élèves découpent des flocons de neige.

D'autres élèves installent des lumières
au plafond.

Arielle dessine des cartes pour souhaiter
Joyeux Noël à ses camarades.

Je peux reconnaître des mots.

carte	fête	sapin
décoration	flocon	je décore
équipe	lumière	je découpe

Je reconnais des syllabes dans des mots. 

sa	soie	sai
sapin	soie	anniversaire
cé	ci	ceau
céleri	citron	morceau

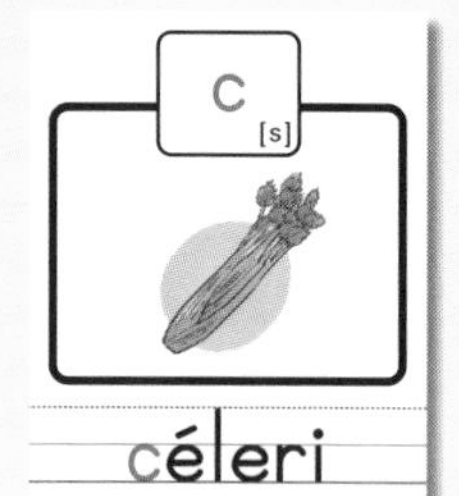

Je reconnais les accents sur des lettres.

É é	Mélie décoration je découpe équipe	È è	mère lumière père frère	Ê ê	fête pêche fenêtre forêt

a b c d e f g h i j k l m n o p q r s t u v w x y z

Jongle avec les boules de Noël pour former des mots.

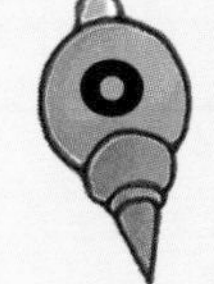

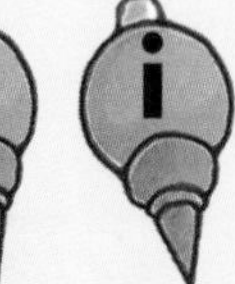

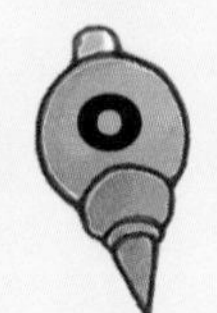

r

1. Lis les phrases suivantes.
2. Transcris tous les mots que tu reconnais.

Chez nous, tout le monde
aime le temps des fêtes.

Ma soeur et mon père font des beignes.

Mon frère cuisine un gâteau
qui a la forme d'une maison.

Mon oncle installe les jeux de lumières
rouges et vertes dans le sapin dehors.

Ma mère accroche des banderoles à l'intérieur.

Écris une phrase sur le temps des fêtes
en utilisant quelques-uns des mots
que tu as transcrits.

Défi

1. Un ou une de tes camarades se demande comment décorer sa chambre pour Noël. Fais-lui des suggestions.
2. Offre-lui ton aide.

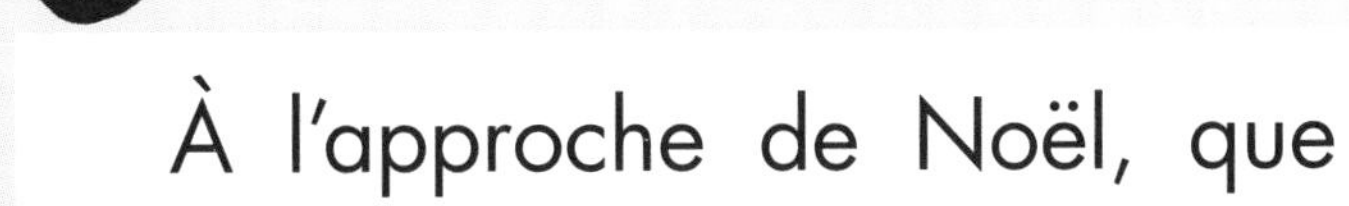

À l'approche de Noël, que fais-tu
pour décorer ta maison ?

Thème 15

Je pense aux autres

Donner ou recevoir ?

Que préfères-tu ? Offrir des cadeaux ou en recevoir ?

Lis le texte pour savoir ce que pensent Marie et son ami Étienne.

— J'ai hâte à Noël ! J'ai fait une longue liste. Je ne sais pas si je vais recevoir tout ce que j'ai demandé. Je voudrais surtout un beau poisson exotique. Je pourrais le montrer à tous mes amis et amies. Je serais tellement fière.

— Moi aussi, j'ai hâte. J'ai tant de cadeaux à fabriquer ! J'espère que j'aurai le temps de tout emballer avant le réveillon. Toi, offres-tu des cadeaux ?

— Je n'y ai pas encore pensé !

1. Qu'est-ce qui est le plus important pour chacun des deux amis : donner ou recevoir ?
2. Que ressens-tu lorsque tu reçois un cadeau ?
3. Que ressens-tu lorsque tu offres un cadeau ?
4. Explique-toi.

Pourquoi offrir un cadeau ?

As-tu déjà offert un cadeau ? Si oui, à qui ?

Lis les textes.
Tu connaîtras les raisons qui ont poussé Carla, Louis et Sabrina à offrir un cadeau.

1. Mon cousin collectionne les petites voitures. J'ai économisé assez d'argent pour lui en acheter une. Il sera content.

2. Je crois qu'Émile ne recevra pas beaucoup de cadeaux.
Je vais lui fabriquer un petit sapin.
Je l'emballerai dans une grande boîte.
Toute une surprise pour mon ami !

3. Cette année, j'offre un cadeau à ma gardienne. Elle me raconte souvent de belles histoires. Je vais en inventer une. Je ferai des dessins. Elle pourra me la raconter.

1. À qui veux-tu offrir un cadeau ?
2. Pourquoi ?
3. Qu'est-ce que tu offriras en cadeau ?

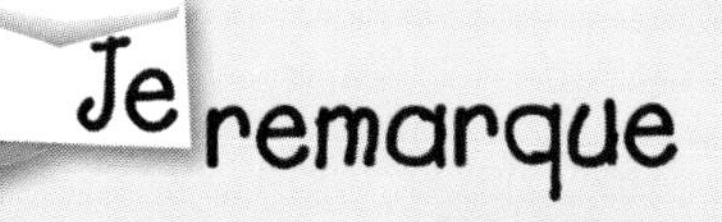

Je remarque

Quand on écrit une question, il faut mettre un **point d'interrogation** à la fin de la phrase.
Exemple : Aimes-tu les histoires **?**

Pourquoi tant de publicité ?

As-tu remarqué le nombre de jouets exposés ou annoncés durant le temps des fêtes ? Trouves-tu qu'il y en a trop ? Cela te donne-t-il envie de les avoir ?

Lis les annonces publicitaires.

1

Ce robot parle, marche… et danse. Emporte-le partout, même chez tes amis et amies !

2

Avec cet ordinateur, tu peux écrire, calculer et dessiner. C'est un compagnon de jeu utile et amusant !

La publicité incite les gens à acheter. Transcris la phrase qui attire le plus ton attention dans une des publicités.

Explique pourquoi cette phrase attire ton attention.

3

Caresse-le, prends-le dans tes bras. Raconte-lui des histoires. Dors avec lui. Il a parfois peur la nuit.

Des cartes de voeux

Reçois-tu des cartes de voeux durant le temps des fêtes ? Et tes parents ? As-tu remarqué les timbres-poste de Noël sur les cartes ?

Regarde les trois timbres.

L'usage du timbre-poste remonte à janvier 1840. Ça fait longtemps !

1

2

3

Écris une phrase qui explique l'illustration de chaque timbre.

1. Fabrique un timbre géant avec tes camarades.
2. Affiche-le chez toi ou dans la classe.

Vive le temps des fêtes

(Sur l'air de *Vive le vent!*)

Connais-tu des chansons du temps des fêtes?

Écoute la chanson. Si tu en reconnais l'air, chante-la en lisant les mots.

Refrain
Vive le temps, vive le temps,
Vive le temps des fêtes,
Lorsque tous les enfants
Ont le coeur content.
Vive le temps, vive le temps,
Vive le temps des fêtes,
Amusons-nous et dansons
Jusqu'au réveillon.

1. En équipe, fais la liste des chansons du temps des fêtes que tu connais.
2. Combien de chansons connais-tu?

1

Le soir à la veillée,
Les enfants ont placé
Leurs longs bas colorés
Au-dessus du foyer.
Et maman leur a dit:
« Si vous êtes gentils,
Vos bas seront remplis
Quand vous serez endormis. »

2

Le lendemain matin,
Les enfants sont contents,
Car tous les bas sont pleins
De merveilleux présents.
Ils sont de bonne humeur,
Au moins pour quelques heures,
On les entend chanter
Dans toute la maisonnée.

Mireille Villeneuve

Je fais une pause avec Bravo

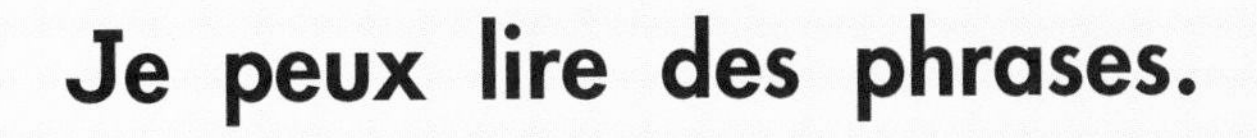

Je peux lire des phrases.

Cette petite voiture roule très vite.
Elle est très amusante.
Tous les enfants la désirent !

Dans ce livre, tu peux lire de belles chansons. Tes parents seront contents de t'entendre chanter.

Je peux reconnaître des mots.

chanson	contente	je donne
voiture	amusant	je reçois
content	amusante	toi

Je reconnais des syllabes dans des mots.

ran	man	chan
orange	je demande	je chante
dent	ten	len
dent	contente	lendemain

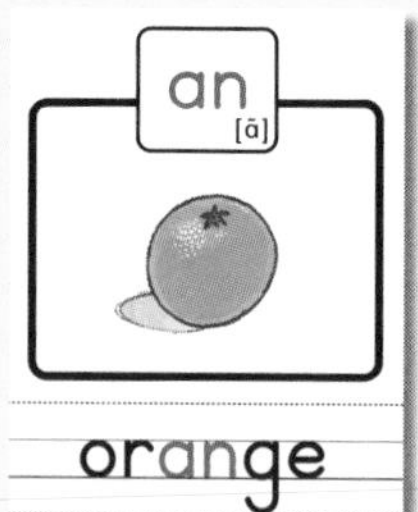

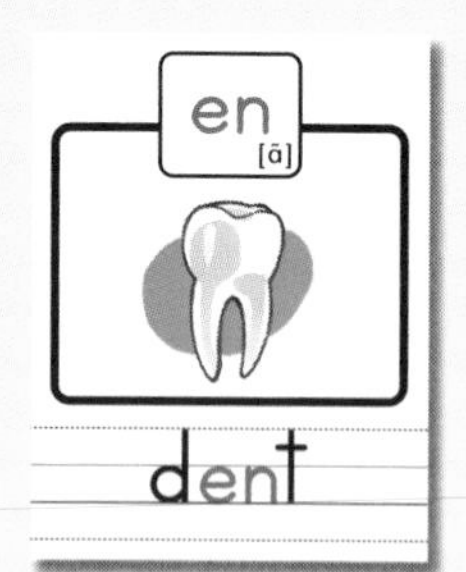

Je reconnais des lettres dans des mots.

Mm
- ami
- je demande
- amusante
- maisonnée

Nn
- noir
- je donne
- ordinateur
- Noël

Çç
- glaçon
- je reçois
- garçon
- ça

a b c d e f g h i j k l m n o p q r s t u v w x y z

Trouve la lettre-voyelle qui vient avant chaque lettre.

b f j p v z

1. Lis les phrases suivantes.
2. Transcris les mots nouveaux que tu as appris cette semaine.

Je suis très content. J'ai beaucoup d'idées pour fabriquer des cadeaux. Je dessinerai même des timbres de Noël.

Ça me rend heureux de savoir que je ferai plaisir à ma famille et à mes amis et amies.

J'ai bien hâte de distribuer mes surprises!

1. Écris le nom de trois cadeaux que tu peux fabriquer toi-même.
2. Écris aussi le nom des personnes à qui tu les offrirais.

1. Chante une chanson du temps des fêtes.
2. Demande à un ou à une adulte de t'enregistrer.

1. Suggère à un ou à une camarade une idée pour faire un bricolage qui pourrait être offert en cadeau.
2. Écris les instructions sur une fiche.
3. Fais une illustration pour l'aider à comprendre.
4. Tu peux aussi l'aider à faire le bricolage.

Thème 16

Déjà de retour !

Les retrouvailles

As-tu passé de belles fêtes ? Tu dois avoir beaucoup de choses à raconter.

1. Lis le poème.
2. Remarque les mots qui expriment la joie.

Les cristaux dansent.
Ils font une farandole
autour des enfants
qui rigolent dans le vent !

Les élèves sautillent.
Les sourires brillent.
C'est le grand retour.
Entre dans la cour.

L'école s'emplit
de rires et de cris.
Je suis ravi.

1. Quels mots expriment la joie ?
2. Transcris-en quelques-uns.
3. Écris d'autres rimes pour compléter le poème.

Je remarque

Certains verbes se terminent par **ent.** C'est le signe du pluriel.
Exemple : Les enfants sautill**ent.**

Ma plus belle journée

1 Moi, c'est lorsqu'il y a eu une tempête. Il y avait assez de neige pour construire un fort dans notre cour. Nous y avons même mangé une collation. C'était excitant !

2 Moi, c'est lorsque mes parents nous ont emmenés au cinéma. Ensuite, nous sommes allés au restaurant. C'était délicieux !

3 Moi, c'est lorsque j'ai invité Simon. Nous avons joué au jeu des échelles et des serpents. Nous ne nous sommes pas disputés. C'était amusant !

Quelle a été ta journée préférée durant le temps des fêtes ? Pourquoi ?

Pour dire qu'on aime une personne ou une chose, on choisit des mots. Lis ce que trois personnes différentes ont à dire à propos de leur journée préférée.

Écris quelques phrases sur ta plus belle journée du temps des fêtes. Choisis bien tes mots pour exprimer ta joie.

Ma plus belle lecture

Aimes-tu encore qu'on te lise des histoires ? Regardes-tu les images pour comprendre l'histoire ? Essaies-tu de lire tous les mots ?

Il faut parfois relire l'histoire pour bien la comprendre. Lis les textes. Tu connaîtras la lecture préférée de trois enfants.

❶ Maman m'a lu l'histoire d'un petit poisson qui voulait devenir l'ami d'une baleine. Il ne savait pas comment faire. Finalement, il a réussi ! J'ai beaucoup regardé les images. Elles étaient très belles.

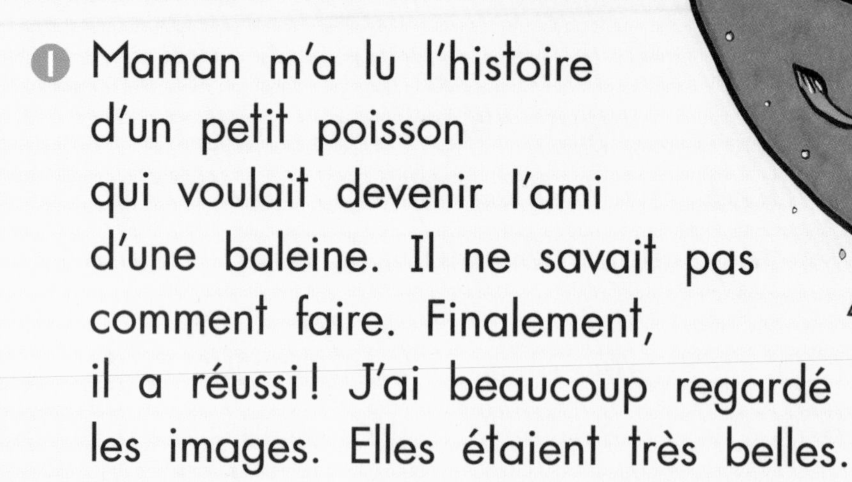

❷ J'ai regardé un album sur les animaux. Je n'ai pas réussi à lire tous les mots, mais les illustrations m'ont aidé à comprendre.

❸ Mon grand-père m'a offert une bande dessinée. Elle raconte l'histoire d'un petit garçon qui réussit à échapper à une méchante sorcière. J'ai lu presque tous les mots sans aide !

1. Quelle a été ta lecture préférée durant le temps des fêtes ?
2. Explique pourquoi.

Mon film préféré

1 Je suis allé voir un film qui racontait l'histoire d'un petit garçon très malade. C'était triste ! J'ai beaucoup pleuré.

Aimes-tu aller au cinéma ou regarder un film à la télévision ? Est-ce toi qui choisis le film ?

Lis les textes pour connaître différentes opinions.

2 Mes parents ont loué un film sur les animaux minuscules. J'ai appris un tas de choses. Je fais attention maintenant quand je marche. Je regarde partout.

3 Le film racontait l'histoire d'une famille de douze enfants. Cinq étaient adoptés. Les parents avaient autant de plaisir que les enfants. Nous avons bien ri. J'aimerais bien avoir des frères et des soeurs avec qui m'amuser.

1. As-tu vu un film durant les vacances de Noël ?
2. Quel en était le titre ?
3. Pourquoi l'as-tu aimé ?

De beaux souvenirs

Le temps des fêtes est terminé. En gardes-tu un bon souvenir ?

Lis le poème pour découvrir des souvenirs du temps des fêtes.

Le temps des fêtes est passé,
C'est terminé.
Tout le monde dit :
« La fête est finie ! »

Que reste-t-il dans la maison ?
Tous les cadeaux
Qui sont bien beaux.
Tous les papiers
Qui sont froissés.

Mais, que reste-t-il dans mon coeur ?
Beaucoup de chaleur
Et de douceur.
Beaucoup de souvenirs
Pour empêcher la fête de finir.

Godelieve De Koninck

1. Quels souvenirs gardes-tu du temps des fêtes ?
2. Discutes-en avec tes camarades.

1. Écris une phrase sur tes vacances de Noël.
2. Illustre-la.

Je fais une pause avec Bravo

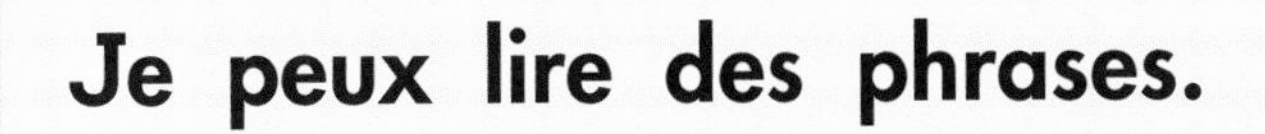

Je peux lire des phrases.

C'est une journée de congé parce
qu'il y a une grosse tempête de neige.

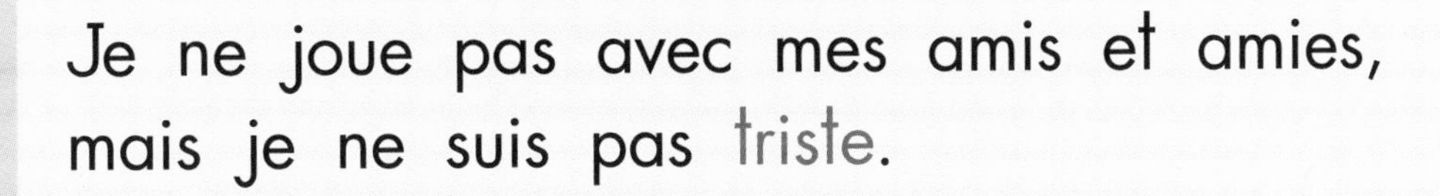

Je ne joue pas avec mes amis et amies,
mais je ne suis pas triste.

Mes parents ont loué un film
qui parle d'une baleine.

Le film est drôle. Je rigole tellement
que je pleure... de joie !

Je peux reconnaître des mots.

journée	tempête	je pleure
sourire	neige	je construis
baleine	triste	je rigole

Je reconnais des syllabes dans des mots.

fê	pê	tê
fête	tempête	tête
trei	nei	lei
treize	neige	baleine

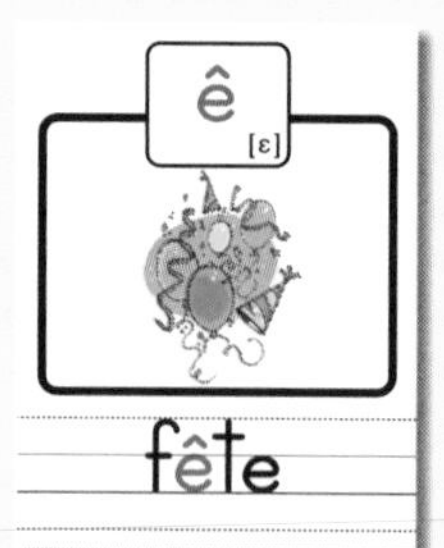

Je reconnais des lettres dans des mots.

Gg	Pp	Ii
gazon	pomme	livre
je rigole	je pleure	je construis
grand	tempête	triste
je regarde	parent	histoire

a b c d e f g h i j k l m n o p q r s t u v w x y z

Quelle syllabe est au milieu de chaque mot illustré ?

lei ne ba

tem te pê

ri re sou

1. Lis la comptine suivante.
2. Remarque les mots qui riment.

Les vacances sont finies,
j'ai retrouvé mes amis et amies.

C'était le temps de jouer
avec la famille retrouvée.

La fête est terminée,
une autre va commencer.

J'aime beaucoup travailler
et aussi m'amuser.

Écris deux autres vers pour terminer cette comptine. Tu peux faire le travail en équipe.

1. Durant tes vacances, tu as certainement appris beaucoup de choses.
2. En équipe, fais une liste de tes découvertes par ordre d'importance.
3. Ces découvertes te donnent-elles des idées ?
4. Discutes-en avec tes camarades.

Bravo aimerait savoir ce que tu as fait durant tes vacances. Écris-lui une lettre.

Il est déjà temps de faire un autre retour sur ce que tu sais faire.

Lis le texte pour savoir ce que Simon et Mélie savent faire.

Qu'est-ce que j'ai appris ?

1. Je lis le nom des parties du corps. Puis, je nomme des actions que je peux faire avec chacune d'elles.

2. — Je vais écrire les étapes à suivre pour fabriquer un avion en papier.
— Moi, je vais écrire comment faire un château de cartes.

1. Écris le nom de deux parties du corps.
2. Écris ce que tu peux faire avec chacune d'elles.

Trousse de grammaire

Je remarque

Les prénoms commencent par une lettre **majuscule.**

Exemples : **S**imon, **M**élie, **A**rielle, **B**enoît, **C**aroline, **D**avid, **É**milie, **F**annie, **G**abriel.

Les amis et amies

Fannie joue avec ses amis David et Caroline.
Le chien de Benoît s'amuse avec Gabriel et Simon.
Arielle lance le ballon à Émilie.

1. Lis le texte.

2. Remarque les prénoms.

Transcris les prénoms.

Je remarque

Le son **on** peut être accompagné de lettres différentes.

Exemples : **son,** mel**on,** Si**mon, bonbon,** cha**ton, bon, non,** men**ton, ronron.**

Le chaton de Gédéon

Le chaton de Gédéon mange du melon.
Il pose son menton sur sa patte et commence à faire des ronrons.

1. Lis le texte.

2. Remarque les mots dans lesquels tu entends le son **on.**

Transcris les mots qui contiennent le son **on.**

Je remarque

Le nom est **masculin** ou **féminin.**

Exemples : masculin ▸ le coeur, le fruit, le melon, un chaton, un menton ;

féminin ▸ la pulpe, la pomme, la poire, une chatte, une patte.

1. Lis le texte.

2. Remarque les noms masculins et les noms féminins.

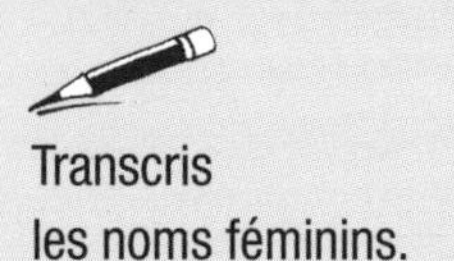

Transcris les noms féminins.

Un animal capricieux

La chatte de mon ami n'aime pas le melon.
Elle préfère la pomme. Quand elle mange, elle pose une patte sur le fruit.

Je remarque

On prononce la lettre **e** de façon différente lorsqu'il y a un **accent** dessus.

Exemples : **é** ▸ le b**é**b**é**, du bl**é**, du c**é**leri, M**é**lie, **été**, j'ai jou**é** ;

ê ▸ la f**ê**te, ma t**ê**te, une b**ê**te, la fen**ê**tre ;

è ▸ un m**è**tre, des f**è**ves, Genevi**è**ve, de la cr**è**me.

1. Lis le texte à voix haute.

2. Remarque les différents sons.

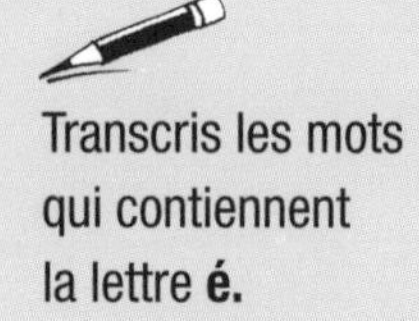

Transcris les mots qui contiennent la lettre **é.**

J'aime mes amies

C'est l'été. Quand je me lève le matin, je regarde par la fenêtre. Souvent, Mélie et Geneviève m'attendent.

Je suis vite habillé pour partir avec elles.
J'aime beaucoup mes deux amies.

Je remarque

Les **noms** sont des mots qui servent à nommer les choses.

Exemples : une **pomme,** un **panier,** le **tableau,** des **jouets,** du **lait,** un **soulier,** une **feuille,** ma **maison,** un **livre.**

1. Lis le texte.
2. Remarque les noms qui servent à nommer des choses.

Jouer ensemble

Fannie et Simon aiment partager leurs jouets. Fannie s'amuse à dessiner avec les crayons de son ami.

Simon aime bien construire un château avec les cartes de Fannie.

Transcris les noms qui servent à nommer des choses.

Je remarque

Dans une histoire, il y a toujours un **début,** un **milieu** et une **fin.**

Exemple: **Début** ▸ C'est la nuit. Il fait noir. David ne dort pas.

Milieu ▸ Il entend des bruits étranges. Il a peur. Soudain, quelque chose saute sur son lit.

Fin ▸ Surprise ! C'est Pompon, son chat noir !

1. Lis le texte.
2. Remarque le début, le milieu et la fin de l'histoire.

L'histoire d'une feuille

C'est le printemps. Une belle feuille verte pousse dans un gros arbre.

Ensuite, arrive l'été. La feuille vit heureuse avec ses amies. Puis, c'est l'automne. Le vent se lève.

Tout à coup, la feuille se détache du gros arbre et tombe sur le sol.

Transcris la fin de l'histoire.

Je remarque

On désigne les choses, les personnes et les lieux par un **nom.**

Exemples : la **jambe** (chose) de **Fabien** (personne),
la **chambre** (lieu) de mon **amie** (personne).

1. Lis le texte.
2. Remarque les mots qui servent à nommer des choses, des personnes et des lieux.

Transcris les noms qui désignent des personnes.

Une carte d'anniversaire

Léa est dans sa chambre. Elle prépare une surprise pour son ami. Elle découpe des étoiles dans du papier. Elle les colle sur une carte. Elle pose la carte sur la table.

Je remarque

Les mots qui décrivent des **actions** s'appellent des **verbes.**

Exemples : Je **saute** de joie. Elle **court** sur le trottoir.
Mélie **découpe** son dessin. Arielle **mange** une pomme.

1. Lis le texte.
2. Remarque les verbes.

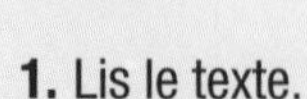

Transcris les verbes.

Une carte d'anniversaire

Léa prépare une surprise pour son ami. Elle découpe des étoiles dans du papier. Elle les colle sur une carte. Elle pose la carte sur la table.

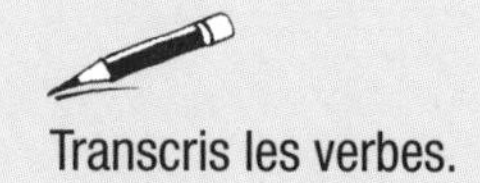

Je remarque

Les mots qui servent à préciser comment sont les personnes, les choses et les lieux s'appellent des **adjectifs.**

Exemples : de **grands** yeux, mon **petit** frère, une **belle** chambre, un oiseau **jaune,** une fille **heureuse.**

1. Lis le texte.

2. Remarque les adjectifs.

L'histoire d'une feuille

C'est le printemps. Une belle feuille verte pousse dans un gros arbre.

Ensuite, arrive l'été. La feuille vit heureuse avec ses amies. Puis, c'est l'automne. Le vent se lève.

Tout à coup, la feuille se détache du gros arbre et tombe sur le sol.

Transcris les adjectifs.

Je remarque

Certains mots sont très utiles pour **s'orienter.** Ils sont aussi utiles pour **situer** les choses, les personnes et les lieux.

Exemples : à droite, à gauche, en avant, en arrière, dessous, dans, sur, partout, à côté de, près de, en haut.

1. Lis le texte.

2. Remarque les mots qui servent à situer les choses.

Fatou

Mon chat Fatou est assis sur mes genoux. Il se lève et passe sous la table. Il regarde partout. Il se rend près de la porte. Il se couche dans son panier à gauche de la table.

Transcris les mots qui servent à situer les choses.

1. Lis le texte.
2. Remarque les noms de villes et de pays.

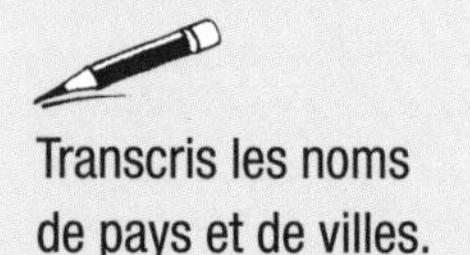

Transcris les noms de pays et de villes.

Je remarque

Les noms de **pays** et de **villes** prennent une lettre **majuscule** au début.

Exemples : **C**anada, **C**hicoutimi, **Q**uébec, **M**ontréal, **L**aval, **F**rance, **H**ull.

Mon ami et moi

Je demeure dans la ville de Montréal. Mon ami est né en Haïti. Chaque hiver, nous allons au carnaval de Québec. Nous aimons beaucoup les sculptures sur neige.

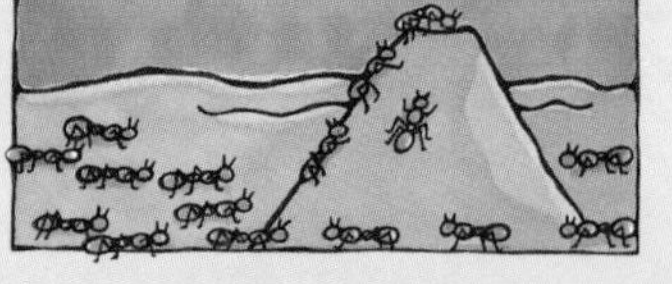
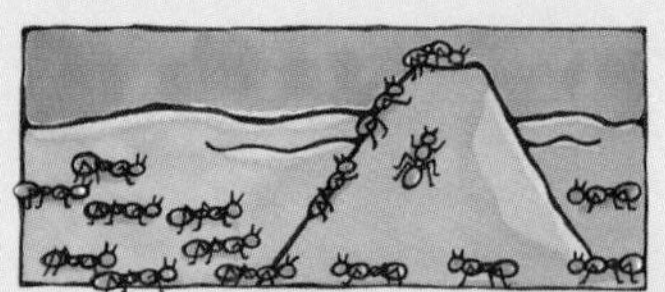

1. Lis le texte.
2. Remarque les verbes qui ont le signe du pluriel.

Transcris les verbes qui ont le signe du pluriel.

Je remarque

Certains verbes se terminent par **ent.** C'est le signe du pluriel.

Exemples : Les enfants sautill**ent.** Les feuilles tomb**ent.** Simon et Fannie jou**ent.**

Des insectes toujours occupés

Arielle observe des fourmis.
Les petites bêtes se promènent partout.

Elles transportent des brindilles. Elles creusent des galeries pour déposer leurs oeufs.

Arielle pense que les fourmis se parlent.

Vocabulaire

Thème 1 **Je lis des mots**

Les noms[1]

un ami, une amie
son anniversaire
Arielle
Bravo
les chansons
une fille
un garçon
Mélie
Pablo
les prénoms
Simon

Les verbes

aimer
appeler
avoir
être
jouer
lire
manger

1. Les prénoms ne sont pas accompagnés d'un déterminant.

Thème 2 **La magie des couleurs**

Les noms
les couleurs
le pinceau

Les adjectifs
blanc, blanche
bleu, bleue
jaune
noir, noire
orangé, orangée
rouge
vert, verte
violet, violette

Les verbes
dessiner
devenir
faire
tracer

Thème 3 **À l'école**

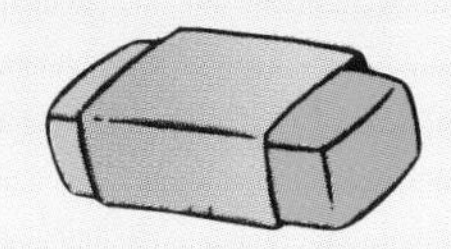

Les noms
un bâton de colle
bonjour
son cahier
tes camarades
deux crayons
l'école
une gomme à effacer
son livre
ce matin
les objets
son sac

Les verbes
aller
chercher
dire
entendre
voir

Thème 4 **J'aime lire**

Les noms
un album
le babillard
les chats
une histoire
des images
la lecture
le nom
la table

Les verbes
afficher
deviner
écrire
regarder
trouver
vouloir

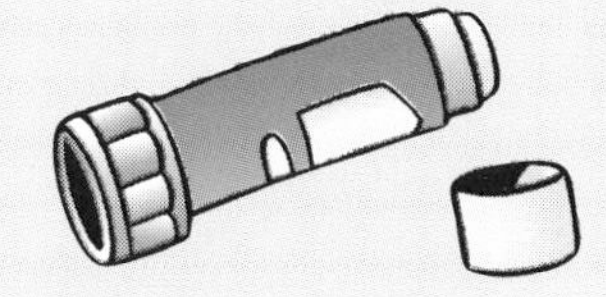

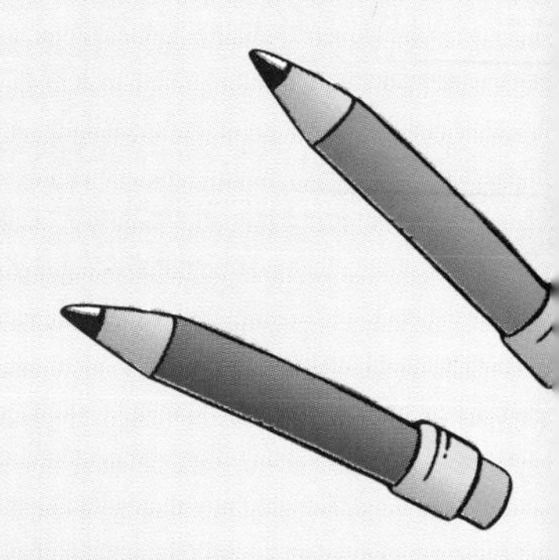

Thème 5 **Des fruits frais**

Les noms
des bananes
le coeur
un fruit
les parties
les pêches
la pelure
trois poires
deux pommes
les raisins

Les adjectifs
grand, grande
petit, petite

Les verbes
choisir
couper
laver
peler

Thème 6 **Des légumes**

Les noms
un brocoli
des carottes
du céleri
un chou
des légumes
du navet
des pois
une tomate

Les adjectifs
délicieux, délicieuse
rose
vert, verte

Les verbes
ajouter
mettre
pousser

Thème 7 Les légumes, les fruits et l'art

Les noms
un chevalet
une palette
des paysages
une peinture
ce tableau
une toile

Les verbes
colorier
mélanger
peindre
prendre
renverser

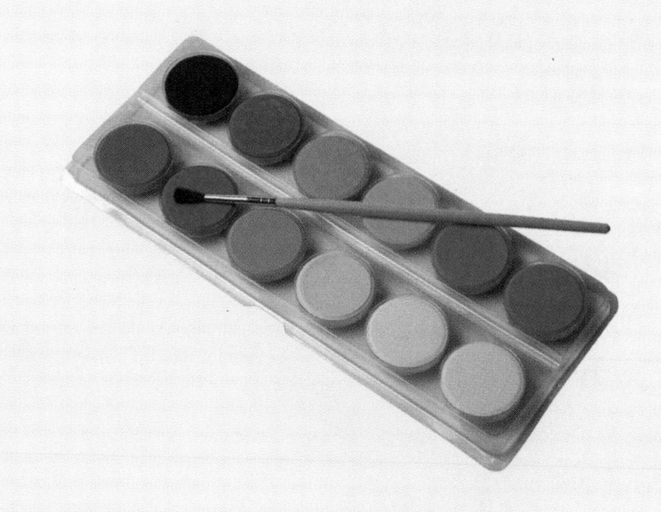

Thème 8 Je fête l'Halloween

Les noms
une bougie
une citrouille
la fenêtre
des graines
mon grand-papa
un jour
ta maman

Les adjectifs
potelé, potelée
rond, ronde
souriant, souriante

Les verbes
allumer
chauffer
enlever
étendre
sécher

Thème 9 **Mon corps**

Les noms
ma bouche
les bras
mon cou
le dos
deux jambes
les mains
un nez
ses pieds
ma tête
le tronc

Les verbes
assembler
courir
décrire
identifier
nager
sauter
serrer

Thème 10 **Tout ce que je sais faire**

Les noms
un clavier
un écran
des fermetures éclair
un ordinateur
les ordures
une souris
la télévision
un vêtement

Les adjectifs
capable
difficile
facile
gros, grosse
lourd, lourde
sale

Les verbes
attacher
enfiler
habiller
oublier
sortir

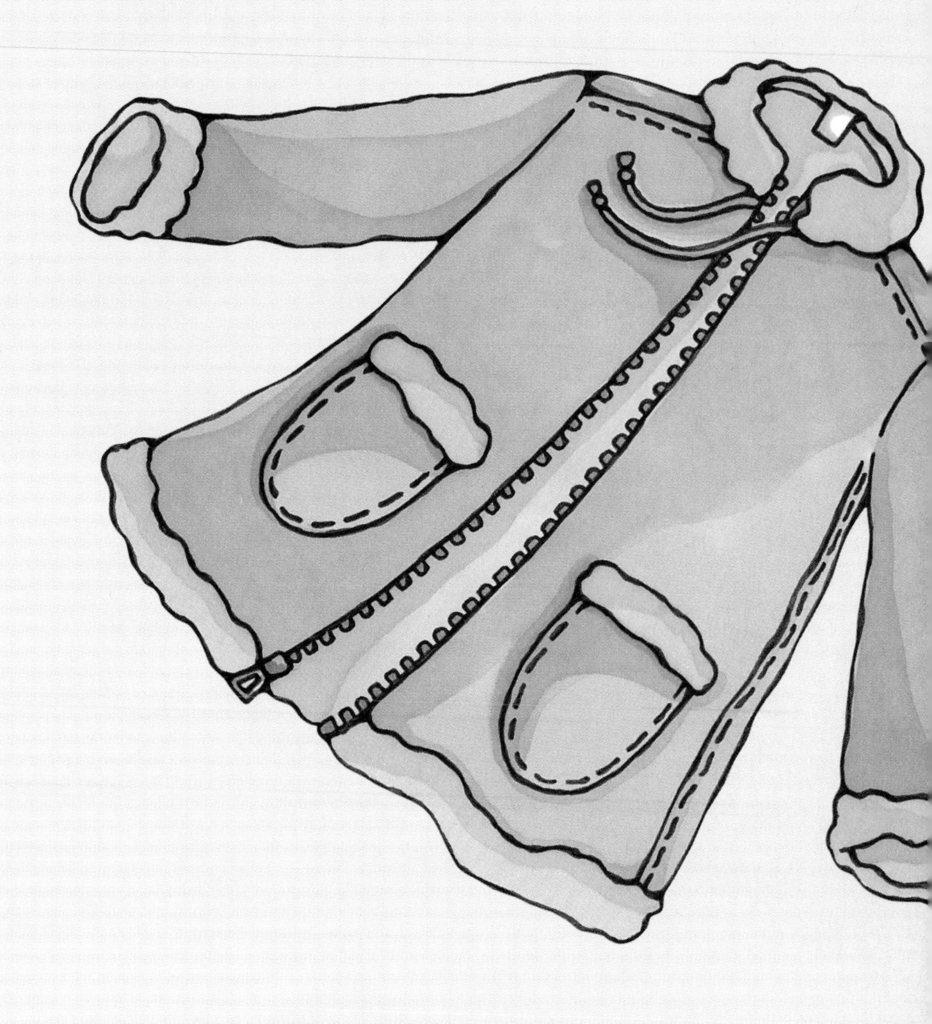

Thème 11 **Les gens que j'aime**

Les noms
les cousins, les cousines
ma famille
mon frère
les grands-parents
l'oncle
ma soeur
la tante

Les adjectifs
agité, agitée
agréable
joli, jolie

Les verbes
amuser
apporter
avaler
célébrer
demeurer
donner
envoyer
rire

Des mots utiles
moi
souvent
toujours

Thème 12 **Autour de chez moi**

Les noms
la campagne
le chemin
l'entrée
une flaque d'eau
le grenier
le plancher

Les verbes
connaître
marcher
ramasser
rapporter
revenir
rouler
tourner

Des mots utiles
à côté de
à droite
au-dessus
plus loin

Thème 13 Pourquoi y a-t-il un temps des fêtes ?

Les noms
des bonbons
un cadeau
des chants
la cloche
le temps des fêtes

Les adjectifs
amusant, amusante
beau, belle
joyeux, joyeuse
traditionnel, traditionnelle

Les verbes
chanter
habiter
inviter
naviguer
raconter
recevoir
sonner

Des mots utiles
jamais
pourquoi
toi

Thème 14 Décorons la classe !

Les noms
une ambiance
des cartes de souhaits
mes décorations
trois flocons
les lumières
du papier
le sapin

Les verbes
bricoler
déchirer
décorer
découper
froisser
installer
partager
participer
rappeler

Thème 15 **Je pense aux autres**

Les noms
des idées
une liste
la voiture

Les adjectifs
content, contente
fier, fière

Les verbes
demander
emballer
offrir

Des mots utiles
assez
surtout
tellement

Thème 16 **Déjà de retour !**

Les noms
une baleine
un fort
une journée
le retour
les sourires

Les adjectifs
malade
méchant, méchante
minuscule
triste

Les verbes
briller
construire
pleurer
rigoler
sautiller

Des mots utiles
autour
beaucoup
comment